Helma Ohmes

Heinz G. Konsalik, 1921 in Köln geboren, begann schon früh zu schreiben. Der Durchbruch kam 1958 mit der Veröffentlichung des Romans »Der Arzt von Stalingrad«. Konsalik, der heute zu den erfolgreichsten deutschen Autoren gehört – wenn er nicht sogar der erfolgreichste ist –, hat inzwischen rund hundert Bücher geschrieben, die in viele Sprachen übersetzt wurden. Die Weltauflage beträgt über sechzig Millionen Exemplare. Ein Dutzend Romane wurden verfilmt.

Heinz G. Konsalik

Die tödliche Heirat

Roman

Originalausgabe

Wilhelm Goldmann Verlag

Dieser Roman spielt im New York des Jahres 1954.
Er ist nach Tatsachen gestaltet.
Die Namen der Personen sind mit Rücksicht auf noch lebende
Verwandte geändert worden.

1. Auflage September 1978 · 1.– 60. Tsd.
2. Auflage November 1978 · 61.–110. Tsd.
3. Auflage April 1979 · 111.–160. Tsd.
4. Auflage Oktober 1979 · 161.–210. Tsd.
5. Auflage Mai 1980 · 211.–260. Tsd.
6. Auflage Dezember 1980 · 261.–310. Tsd.
7. Auflage Oktober 1981 · 311.–360. Tsd.
8. Auflage Juli 1982 · 361.–390. Tsd.
9. Auflage April 1983 · 391.–410. Tsd.
10. Auflage Januar 1984 · 411.–435. Tsd.
11. Auflage August 1984 · 436.–465. Tsd.

Made in Germany
Genehmigte Taschenbuchausgabe
© 1976 beim Autor
© 1983 bei Hestia-Verlag GmbH, Bayreuth
Umschlagentwurf: Atelier Adolf & Angelika Bachmann, München
Umschlagfoto: Photofile, New York
Gesamtherstellung: Elsnerdruck GmbH, Berlin
Verlagsnummer: 3665
Lektorat: Dagmar von Berg · Herstellung: Harry Heiß
ISBN 3-442-03665-8

Der erste Mord wurde am 24. Mai 1954 entdeckt.

Es war ein regnerischer Dienstagabend; vom Atlantik wehte ein ziemlich heftiger Wind in die düsteren Hafenanlagen herüber, die im fahlen, durch Regenschauer abgedämpften Licht noch unwirtlicher als sonst aussahen.

Verständlich also, daß Bob Riley seinem Patrouillendienst mit wenig Freude nachging. Um genau zu sein: Er war mürrisch. Wer läuft auch schon gerne stundenlang durch prasselnden Regen? So war es fast ein Wunder, daß Riley den Mann sah.

Dieser saß wie schlafend im Schatten eines Schuppens im Hafenviertel Hoboken. Seine Beine ragten ein wenig in den Schein einer trüben Laterne hinein; sie ließ die glänzenden Lackschuhe wie einen Spiegel leuchten. Der Kopf des Toten war auf die Brust gesunken, den Körper bedeckte ein teurer, aus bestem Tweed geschneiderter Mantel. Das alles bot einen fast lässigen Anblick. Nichts deutete auf Verkrampfung hin, kein Teil des Körpers wies Blut auf. Ja, nicht einmal die Kleidung schien sonderlich beschmutzt. Lediglich das weiße Gesicht mit den wie ungläubig aufgerissenen Augen bewies dem Polizisten, daß er einen Toten und keinen eingeschlafenen Betrunkenen vor sich hatte.

Als der schrille Ton der Polizeipfeife den trüben Abend durchschnitt, sahen die wenigen Arbeiter, die noch in den Lagerhallen von Hoboken am Hudson-Hafen die Ware stapelten, kurz auf und nickten sich zu. »Schon wieder einer«, murmelte der lange Vormann und wischte sich den Schweiß von der Stirn. Die Arbeiter schwiegen. Schmuggel ist ein verdammt hartes Geschäft, dachten sie. An einen Toten dachten sie nicht. Es war in den letzten Jahren ziemlich friedlich geworden im Hafen von New York. Nur der Schmuggel blühte noch, und hin und wieder gab es harte Auseinandersetzungen zwischen rivalisierenden Gruppen, die um das Recht kämpften, die Ladung einlaufender Schiffe an bestimmten Molen zu löschen.

So kümmerten sich die Arbeiter nicht um das Sirenengeheul des Polizeiwagens, der kurz nach dem Pfeifsignal über die Uferstraße raste. Kaum einer der wenigen Menschen, die um diese Zeit auf Hoboken am Hudson standen, war auch Zeuge, wie der leblose Mann auf eine Bahre geschnallt und mit einer Decke verhüllt in einen Ambulanzwagen geschoben wurde. Auch die kleine Gruppe von Beamten, die noch einige Zeit den Fundort mit starken Handscheinwerfern absuchte, und der Polizeifotograf, der mit einer Spezialkamera Aufnahmen machte, erregten nicht viel Aufmerksamkeit.

Wenig mehr als eine Stunde später lag der Hafen von Hoboken wieder wie ausgestorben im klatschenden Regen. Der Hudson floß wie immer grauschwarz und träge in die

Upper Bay. In den Lagerhäusern verloschen die letzten Lichter. Unter einem Ladedach stand ein anderer Polizist und blickte gelangweilt durch den Regen über die Uferstraße zu den Kränen hinüber, deren Stahlskelette sich schemenhaft von dem nächtlichen Himmel abhoben. Ein toter Mensch – was bedeutete das schon in dieser Riesenstadt New York mit ihren fast acht Millionen Einwohnern. Das Leben ging weiter . . .

Aber das Morden sollte nicht so schnell ein Ende nehmen.

2

Inspector Henry Corner war sowieso schon mit schlechter Laune zum Dienst erschienen. Am vergangenen Abend hatte er sich mit ehemaligen Schulkameraden zu einem Herrenabend getroffen und dabei wohl etwas zu tief in eine Menge von Gläsern geschaut. Jedenfalls war daraufhin die Nacht etwas unruhig verlaufen. Seine Stimmung besserte sich natürlich nicht, als ihm Lieutenant Stewart Bennols die Berichte der vergangenen Nacht auf den Schreibtisch legte. Es war der Morgen des 25. Mai, und neben einem Stapel Fotografien lag eine genaue Beschreibung des rätselhaften Toten, den man vor wenigen Stunden in Hoboken gefunden hatte.

Für Division III/M – stand auf dem roten Aktendeckel.

Corner sah die Mappe mißmutig an. »Wer hat denn das angeordnet?« fragte er Bennols, der hinter ihm stand und seine Pfeife stopfte.

»Chief Inspector Murrey wahrscheinlich. Er meint, daß wir den Fall übernehmen sollten.«

»Ist es denn ein glatter Mord?«

»Eben nicht. Dann hätte ihn Division II/A behalten. Aber Murrey hat nach der Obduktion angeordnet, daß wir ihn bekommen. Die Kollegen, die in der Nacht die Untersuchung leiteten, sagen nun, sie wüßten nicht weiter!«

»Sehr nett.« Inspector Corner schlug die Mappe auf und betrachtete das zu oberst liegende Bild. Es zeigte den Toten in seiner sitzenden Stellung an der Wand des Lagerschuppens. »Sieht aus, als schlafe er. Merkwürdige Art, einen Toten so hinzusetzen . . .«

Corner legte das Bild zur Seite und begann, flüchtig den Bericht zu lesen. »Die Hafenpatrouille entdeckte ihn. Er wurde an einer Stelle gefunden, an der stündlich der wachhabende Polizist vorbeikommt. Das heißt also, daß der Tote zwischen 21 und 22 Uhr dorthin gelegt wurde.«

»Oder dort umsackte und starb.« Bennols schob die Unterlippe etwas vor, was ihn noch häßlicher aussehen ließ, als er ohnehin schon war. Langsam rauchte er seine Pfeife an. »Murrey glaubt an einen Herzschlag, weil die Obduktion durch Doctor Donnath eine Lähmung des Herzmuskels als Todesursache angibt.«

Corner sah von den Akten auf. Sein Gesicht war ärgerlich; er mußte jetzt auch gegen immer stärker werdende Kopfschmerzen ankämpfen. »Und da reden Sie von Mord, wenn Sie selbst nicht daran glauben? Was sollen wir hier mit dieser Routinesache? Die gehört ins Unfalldezernat.«

»Auch meine Ansicht. Aber da ist noch etwas.«

Corners verkaterte Züge zeigten plötzlich so etwas wie den Versuch eines Lächelns. Der Inspector blickte Bennols an, diesen schlaksigen, ungepflegt wirkenden Jungen mit den dicken Sommersprossen und wiegte wohlwollend den Kopf. »Sie kennen die Akte ja schon sehr genau.«

»Nur um Sie zu entlasten, Chef . . . Doctor Donnath hat neben der Herzmuskellähmung auch ein Gift im Körper entdeckt, das aber merkwürdigerweise nicht das Herz lähmt, sondern allein auf die Verdauungsorgane wirkt. Das veranlaßte Murrey, uns den Fall zu übertragen. Er wittert Unrat, Chef.«

Corner hob die Schultern und atmete tief durch: »Na, dann wollen wir mal, Stewart. Ist der Wagen klar?«

»Ja, Chef.«

»Wir fahren erst ins Schauhaus. Ich will mir den Toten selbst ansehen. Auf der Fahrt kann ich ja den ganzen Kram hier . . .« er tippte auf das rote Aktenstück, »lesen. Es wird nicht viel sein. Weiß man denn, wer der Tote ist?«

»Eben nicht. Er hatte keine Papiere bei sich, keine Brieftasche, kein Portemonnaie, keinen Schlüssel – selbst aus dem Anzug und aus der Unterwäsche waren die Firmenetiketten herausgetrennt.«

Verblüfft fuhr Henry Corner, der gerade eine Alka-Seltzer-Tablette in ein Wasserglas werfen wollte, herum. Sein Gesicht war voll Spannung.

»Die Sache wird ja wirklich interessant, Stewart!«

Bennols nickte weise. »Das wußte ich doch«, sagte er, als sei es eine Selbstverständlichkeit.

3

Im Schauhaus schlug Corner und Bennols die etwas süßliche, kalte Luft entgegen, die allen Leichenhallen zu eigen ist. Immer wenn Bennols diesen großen, kühlen Saal im Keller des Polizeipräsidiums betrat, mußte er ein Würgen unterdrücken, das ihm unwillkürlich in die Kehle stieg. Auch Henry Corner preßte die Lippen aufeinander, als ihn der alte Kriminalsekretär, der seit zwanzig Jahren das Schauhaus verwaltete, entgegenkam und sie freundlich begrüßte. Er hatte sich längst an den Anblick der vielen zugedeckten Bahren gewöhnt, die nebeneinander an der weißgetünchten Wand standen. Einziger Schmuck in diesem kahlen Raum war ein hölzernes, einfaches Kreuz an der Stirnwand.

Inspector Corner sah sich fröstelnd um. »Noch mehr Kundschaft?« fragte er krampfhaft-burschikos. Der Sekretär nickte.

»Drei Autounfälle, ein Selbstmord, zwei Einbrecher, die auf der Flucht erschossen wurden ... im ganzen elf Stück!« Der Alte schüttelte sich und wiegte den Kopf hin und her. »Nicht nur im Krieg, auch in friedlichen Zeiten bringen sich die Menschen gegenseitig um. Irgendwie schaffen sie es immer, daß sie weniger werden.«

Corner, dessen Kopfschmerzen inzwischen nachgelassen hatten, lächelte schwach. Bennols überblickte die elf zugedeckten Bahren und schob die Lippen vor. »Darf man rauchen?«

Der Sekretär zeigte mit dem Daumen über seine Schulter. »Die da stört es bestimmt nicht und mich noch weniger. Ich rauche selbst, um den Leichengeruch nicht immer riechen zu müssen.«

Rasch stopfte sich Bennols eine Pfeife und steckte sie in Brand. »Sie wollen den Geheimnisvollen sehen, Inspector?«

Der Alte wies auf die Bahren. »Da, der Vierte. Das ist er!« sagte er. »Hatte alle Mühe, während der letzten Stunden die Reporter abzuwehren, die ihn knipsen wollten! Eine Bande, diese Zeitungsleute! Keine Pietät!« Er fingerte eine halbgerauchte Zigarre aus der Tasche seines weißen Kittels und steckte sie an. Dick und blau stiegen die Rauchwolken in den Raum.

Henry Corner trat an die vierte Bahre und bückte sich. Einen Augenblick zögerte er, das Leichentuch abzunehmen, aber dann erinnerte er sich, daß der Tote wie ein Schlafender aussehen sollte. Er hatte in seiner Laufbahn als Kriminalbeamter schon ganz andere, entsetzlich entstellte Leichen betrachten müssen. Mit einem Ruck zog er das Tuch weg und blickte in das ruhige, entspannte Gesicht eines älteren Mannes, der wirklich den Eindruck eines friedlich Schlafenden machte.

Da er bis zum Hals zugedeckt war, sah man nicht, daß sein Leib von Doctor Donnath geöffnet und nur notdürftig mit groben Stichen wieder zugenäht worden war. Am Fußende der Bahre war die Nummer angebracht, unter welcher der Tote in dem Register der Polizei verzeichnet stand.

Der alte Sekretär war hinter Corner getreten, der den Toten nachdenklich ansah. »Merkwürdiger Kunde, nicht wahr?« sagte er leise. »Murrey meint, daß da was nicht stimmt! Nehme an, Sie sind deswegen hier, Inspector. Er hat auch noch keinen Besuch bekommen, wie es sonst in diesem Zimmer üblich ist.«

Stewart Bennols betrachtete die Hände des Toten, die über der Brust ineinandergefaltet waren und vom Tuch nicht bedeckt wurden. »Hat man ihm die Fingerabdrücke abgenommen?« fragte er plötzlich.

»Das hat Division II/A schon getan.« Der Sekretär zog an seiner Zigarre. »Wollen Sie die Leiche beschlagnahmen? Dann muß sie auf Eis gelegt werden. Oder geben Sie sie zur Beerdigung frei? Letzteres wäre mir lieber, Inspector. Im zweiten Keller habe ich sowieso schon sieben Leichen tiefgekühlt liegen. Eine seit einem halben Jahr, weil Murrey immer behauptet, er brauche sie, um den Mord nachzuweisen. Nur den Mörder hat er noch nicht . . .« Der Alte lachte meckernd.

Henry Corner stand vor dem Unbekannten und betrachtete sich genau dessen Gesichtszüge. Er gab nicht viel auf Fotografien. Lieber prägte er sich ein Gesicht mit allen seinen Eigenheiten selbst ein. Er vergaß dann die Miene eines Toten so schnell nicht wieder. Während er den Unbekannten ansah, dachte er an das Aktenstück, das er während der Fahrt zum Schauhaus gelesen hatte. Es war der nüchterne Bericht des Kollegen Colin Beachley, von Chief Inspector Murrey mit einigen Randbemerkungen versehen. Demnach mußte der Tote sehr wohlhabend sein. Sein Körper war gepflegt, seine Hände sahen nicht nach körperlicher Arbeit aus, seine Kleidung, seine Unterwäsche zeigten die beste Verarbeitung und waren sicherlich von ersten Firmen. Eine Spezialabteilung war bereits damit beschäftigt, trotz der fehlenden Etiketten die Hersteller anhand der Webart und anderer Merkmale zu ermitteln. Der Tod des Unbekannten war durch Herzlähmung eingetreten. Das im Magen vorgefundene Gift hatte anscheinend nicht oder zu spät gewirkt. Das Herz hatte versagt, bevor das Gift den Organismus angreifen konnte.

»Lassen Sie die Leiche einfrieren!« ordnete Corner nachdenklich an. »Ich brauche sie noch.«

»War gar nicht anders zu erwarten.« Der Sekretär nickte. »Daß ihr es immer so gründlich macht. Einer mehr oder weniger tot . . . Fällt das in diesen Zeiten überhaupt noch auf?«

Bennols zuckte mit den Schultern und wandte sich ab. Er hatte Sehnsucht nach der frischen Frühlingsluft, die draußen wehte, und nach der Sonne, die selbst den monumentalen Anblick der hohen Wolkenkratzer verzauberte.

»Gut, daß Sie kein Staatsmann geworden sind«, sagte er und ging zum Ausgang, während Corner den Toten wieder zudeckte und danach seine Hände in einer Schüssel mit Karbolwasser wusch.

»Lassen Sie niemanden an den Toten«, sagte der Inspector sehr bestimmt. »Nur Murrey natürlich. Aber keine etwaigen Verwandten, Freunde oder Bekannten, wenn sich welche melden sollten. Auch Doctor Donnath darf ihn natürlich sehen. Aber sonst keiner!«

»Verstehe«, nickte der Sekretär. »Und wie ist es mit der Presse? Die Brüder rennen mir das Schauhaus ein!«

»Auch die Presse nicht! Und wenn es noch so großen Protest gibt!«

»Wie Sie wollen, Inspector.«

Der alte Sekretär, dessen Leben aus dem täglichen Umgang mit Leichen bestand, sah den beiden Beamten nach, als sie über den Hof des Präsidiums zu ihrem Wagen gingen. Dann trat er zurück in den kahlen, kalten Raum und drückte auf eine Klingel, die sich an der Wand neben dem Tisch mit der Karbolwasserschüssel befand. Wenig später traten zwei Arbeiter aus dem Fahrstuhl.

»Nummer vier auf Eis«, befahl der Sekretär. »Und gut einfrieren – kann lange dauern, ehe wir den wieder weggeben können.«

Er drückte seinen Zigarrenstummel aus und sah mit gleichgültigem Blick zu, wie die beiden Arbeiter die Bahre Nummer vier zum Aufzug trugen, der sie in den tiefer gelegenen Eiskeller befördern sollte. Als das Telefon schellte, nahm er den Hörer ab und sagte kurz: »Ja?«

Dann kam Leben in seine Augen, und er nickte eifrig. »Waren soeben hier, Chief«, sagte er. »Inspector Corner und Lieutenant Bennols. Ja. Wo sie hin sind? Das weiß ich nicht. Was? Sie haben herausgefunden, wo er die Schuhe gekauft hat? In Trenton? Gratuliere, Chief. Dann haben wir ja den Fall bald gelöst.«

Als er den Hörer einhängte, sprach er zu sich selbst: »Und ich habe einen Gast weniger. Wär' doch nur mal für einen einzigen Tag dieses verdammte Zimmer leer ...«

4

Chief Inspector William Murrey, der anscheinend nichts anderes zu tun hatte, als sich um den Fall »Hoboken« zu kümmern, lauerte Corner bereits auf, als dieser sein Büro im Polizeigebäude der Mordkommission betreten wollte.

»Wir wissen jetzt, wo er herkommt«, sagte er frohgelaunt. »Er kommt aus Trenton!«

»Ach«, meinte Corner und ließ dem Chef den Vortritt. »Er kommt aus Trenton extra nach New York, um sich hier nach einem Herzschlag in eine Ecke des Hafens von Hoboken zu legen?«

Der unüberhörbare Sarkasmus konsternierte Murrey offensichtlich; trotzdem ließ er sich in einem der Sessel nieder, die um Corners Schreibtisch standen. »Vielleicht ein biederer Bürger, der nach New York kam, um sich im Hafen mit . . . na ja, . . . zu amüsieren . . .«

»Und dabei setzt das Herzchen aus. Vor lauter Begeisterung. Und irgendein lieber Kerl oder ein süßes Mädchen gibt ihm auch noch eine schöne Dosis Gift, vielleicht, weil er über Schlaflosigkeit klagte.«

»Sie sind ein Scheusal, Corner!« Murrey erhob sich. »Sie gehen mit Ihrem Chef um wie mit einem Lehrling! Haben Sie eine andere Theorie?«

»Nein.«

»Sehen Sie!« rief Murrey triumphierend.

»Ich halte mich nicht an Theorien«, betonte Corner. »Für mich sind Tatsachen maßgebend! Und an Tatsachen haben wir jetzt nur einen Toten, den niemand kennt und von dem keiner weiß, wie er an den Hafenschuppen kam! Denn eines ist sicher: Die Ecke, an der wir ihn fanden, ist nicht der Ort, an dem er starb. Dafür lehnte er zu entspannt an der Wand. Haben Sie darüber hinaus nicht bemerkt, daß seine Schuhe ohne Flecken waren?! Es regnete ja in der vergangenen Nacht in Strömen, und das Hafengebiet ist dreckig. Er müßte also, wenn er an dieser Ecke mit einem Herzschlag zusammengesunken wäre, vor allem Schmutz an den äußerst eleganten und empfindlichen Schuhen gehabt haben. Das war aber nicht der Fall! Folgern wir daraus: Jemand fuhr ihn mit einem Auto bis an den Schuppen und setzte den Toten auf die Erde. Gewonnen haben wir mit dieser Erkenntnis nichts; im Gegenteil, sie kompliziert nur den Fall, denn jetzt heißt es für uns: Wo starb er, wer brachte ihn in den Hafen von Hoboken? Und vor allem: Warum wurde er dorthin geschafft, wenn es doch lediglich ein Herzschlag war? Wenn man sich eines Toten entledigt, hat man etwas zu verbergen!«

Chief Inspector Murrey nickte. Seine Miene war sehr nachdenklich. »Ihre Gedankengänge sind zwingend logisch, Corner. Das mit den sauberen Schuhen ist einleuchtend. Wir werden einen Aufruf erlassen und Zeugen suchen müssen, die um die fragliche Zeit im Hafengelände irgend etwas bemerkten.«

Corner signalisierte Zustimmung und nahm aus dem Etui, das ihm Murrey hinhielt, eine Zigarre. Während er sie sorgsam anzündete, sah er auf die große Karte von New York, die hinter seinem Schreibtisch an die Wand geheftet war.

»Die Sache mit den Schuhen aus Trenton ist immerhin

interessant«, meinte er.

Murreys Gesicht glänzte. »Das dachte ich mir auch.«

»Sicherlich haben Sie in Trenton schon angefragt?«

»Ich erwarte jeden Augenblick einen Anruf oder ein Fernschreiben.«

Corner setzte sich und blätterte wieder in den Akten herum, als suche er etwas. »Angenommen, wir wissen auch bald, wer der Tote ist. Angenommen, er stammt aus Trenton und kam geschäftlich nach New York. Nehmen wir weiter an, er war ein Ehrenmann und hatte hier keine dunklen Geschäfte zu verbergen ... was dann? Dann stehen wir immer noch da und wissen nicht, wo und wer und warum das alles in Hoboken geschah!«

Es klopfte, und Doctor Donnath trat ins Zimmer. Sein Gesicht war vor Aufregung gerötet; mit einem kühnen Schwung warf er ein paar Blätter auf den Tisch. »Boys«, sagte er schweratmend, »eine tolle Sache! Das Gift im Magen ist völlig ungefährlich. Der Mann starb an einem künstlich erzeugten Herzmuskelkrampf.«

»Künstlich?« Corner sah den Arzt ungläubig an.

»Man hat eine der neuesten und umstrittensten medizinischen Theorien bei ihm angewandt. Eine merkwürdige Verzahnung von Neuralpathologie und Psychosomatik! Der Russe Speransky entwickelte die Methode, Kranke zu heilen, indem er ihnen das Rückenmark so reizt, daß bestimmte Hormone zur Auslösung gelangen, die durch Sympathikus und Vagus angeregt werden und die sich stoppend vor die Krankheiten setzen. Es ist die Theorie des Zweitschlages im Nervensystem. Das bedeutet, daß ein Patient, der eine bestimmte Krankheit in sich trägt, ohne daß sich diese bisher entwickelt hat, plötzlich sterben kann, weil durch einen Reiz auf das Nervensystem die Krankheit eruptiv ausbricht. Wie Speransky hat der Mörder – denn es steht jetzt fest, daß es Mord ist – dem Unbekannten nach einer kleinen Narkose Rückenmarkflüssigkeit – Liquor genannt – entzogen und dann an der gleichen Stelle wieder eingespritzt! Hervorgerufen durch diese drastische Reizung des vegetativen Nervensystems, erlitt der Unbekannte eine Herzmuskellähmung! Ich muß dabei vorausschicken, daß dieser sogenannte Zweitschlag nur wirksam werden konnte, weil sich der Tote vor einiger Zeit schon einmal neuralpathologisch hat behandeln lassen!«

»Amen!« stöhnte Bennols. »Das soll einer verstehen!«

Murrey winkte ab. »Es steht jedenfalls fest: Der Mann starb durch äußere Gewaltanwendung!«

»Unbestreitbar. Ich habe von der Speranskyschen Rückenmark-Pumplehre allerhand gelesen ... aber das ist meines Wissens der erste Mord, der mit Hilfe dieser medizinischen Erkenntnis verübt wurde! Immerhin« – er mußte sarkastisch lächeln – »ein Beweis, daß die Lehre Speranskys Hand und Fuß hat!«

Henry Corner stützte den Kopf in beide Hände und starrte vor sich auf die Platte des Schreibtisches. »Ein wissenschaftlicher Mord also! Das erschwert die Lage kolossal! Die intelligenten Mörder sind immer die bestialischsten!«

Er erhob sich und schaute die anderen sinnend an. »Bennols und ich fahren erst einmal nach Trenton. Vielleicht können wir den Arzt finden, der den Toten neuralpathologisch behandelte. Es dürfte auch in Amerika nicht allzu viele Ärzte geben, die dieses Spezialgebiet beherrschen.«

Gegen 14 Uhr verließen Corner und Bennols New York und lenkten ihren Wagen auf die breite Landstraße nach Trenton. Als sie die Grenze der Millionenstadt verließen, kam ihnen auf der Gegenfahrbahn ein hellgrauer Bentley entgegen. Corner und Bennols achteten nicht darauf. Es war ein Wagen wie hundert andere, denen sie begegneten oder an denen sie vorüberfuhren.

5

Am 19. Mai 1954, einem warmen, sonnigen Mittwoch, erschien in der größten New Yorker Zeitung, der »New York Times«, diese unauffällige, ja man kann sagen alltägliche Heiratsanzeige:

»Wir wollen die Einsamen glücklich machen! Herren aus bester Gesellschaft mit eigenem Vermögen wird Einheirat in große Betriebe geboten, durch Vermittlung unseres Heiratsbüros ›Die Ehe‹. Nur ernstgemeinte Zuschriften mit Lichtbild und Vermögensnachweis unter Chiffre B 10/54 an die Expedition dieses Blattes.«

An dieser Anzeige war nichts Besonderes. So oder ähnlich ist sie in allen Zeitungen der Welt zu finden, man liest über sie hinweg oder schreibt auf sie einen netten Brief in der Hoffnung, dem Glück des Lebens ein wenig entgegenzugehen.

Letzteres erhoffte sich auch der Brückenbauingenieur John Paddleton, der während seiner Mittagspause, die er stets mit der Lektüre der »New York Times« verbrachte, auf diese Anzeige stieß. Da eine Schreibmaschine in der Nähe stand, setzte er sich sofort hin und schrieb diesen Brief:

»Sehr geehrte Damen und Herren!

Ihre Anzeige in der New York Times habe ich gelesen. Durch die darin in Aussicht gestellten Chancen fühle ich mich sehr angesprochen. Ich bin Ingenieur und verfüge über ein Privatvermögen von rund 100 000 Dollar. Davon sind 30 000 auf meinem Girokonto, während sich 70 000 Dollar auf einige Grundstücke und Häuser verteilen, die ich in New Orleans besitze. Ich bin 1,76 m groß, schlank, 49 Jahre alt, gesund und unternehmungslustig. Da meine Frau vor vier Jahren gestorben ist und ich aufgrund meiner starken geschäftlichen Inanspruchnahme keine Gelegenheit habe, Bekanntschaften zu machen, würde ich mich freuen, durch Sie eine Dame aus besten Kreisen kennenzulernen. Ein Foto neueren Datums lege ich bei. Aber ich halte eine persönliche Begegnung für zweckmäßig, da man persönlich alles leichter und besser durchsprechen kann.

Mit freundlichen Grüßen
John Paddleton.«

Allerdings kam Paddleton erst am nächsten Morgen dazu, die Postsendung in den Briefkasten zu werfen. Dabei kreisten seine Gedanken um das – wie er es selbst nannte – kleine Abenteuer, in welches er sich eingelassen hatte. Vor längerer Zeit schon hatte er erwogen, auf diese Art und Weise einmal sein Glück zu versuchen. Er war seit vier Jahren Witwer und des Alleinseins müde. Sein Beruf jedoch ließ ihm wenig Chancen, eine passende Frau zu finden. Tagsüber saß er entweder an seinem Konstruktionsbrett oder hielt sich zur Überwachung seiner Projekte an verschiedenen, oft abgelegenen Baustellen auf. Und außerdem träumte er verständlicherweise von einer besonderen Frau. Natürlich sollte sie nicht unvermögend sein, aber mußte das ausschließen, daß sie nicht auch schön und verführerisch wäre? Seine Ehe hatte ihn in dieser Hinsicht reichlich unbefriedigt gelassen. Betty, so der Vorname seiner verstorbenen Frau, war seine Jugendliebe gewesen. Und wer achtet als Achtzehnjähriger schon so auf Formvollendung? Man himmelte Mae West an und erfüllte sich seine sehnsuchtsvollen Träume dann mit einer bereitwilligen Schulfreundin. Nur – er war von Betty nicht mehr losgekommen, denn ihr Vater hatte, nachdem sie beide fast fünf Jahre lang miteinander gegangen waren, auf der Hochzeit bestanden; und da auch seine Eltern das für richtig und sinnvoll hielten, hatte er sich gefügt. Erst viel später erkannte er, daß seine Ehe in zu normalen Bahnen verlaufen war. Doch zu diesem Zeitpunkt war Betty schon unheilbar krank, und er konnte es nur als Glück ansehen, daß ihre Verbindung kinderlos geblieben war. So tröstete er sich mit schnellen, flüchtigen Liebschaften – mal hier mit einer Baustellensekretärin und dort mit dem Besuch eines Bordells. Aber gerade solche Affären zeigten ihm, was ihm

Betty alles vorenthalten hatte. Auf diese Weise entstanden stille Vorwürfe gegen seine Frau, der er natürlich die alleinige Schuld gab, ohne darüber nachzudenken, ob er sich nicht auch einmal hätte bemühen müssen. Jedenfalls kühlten seine Gefühle ihr gegenüber völlig ab, und als sie starb, fühlte er nicht unbedingt den allergrößten Schmerz. Unmittelbar nach ihrer Beerdigung ging er in ein Bordell – er wollte sich selbst beweisen, daß ihm seine Frau nie etwas bedeutet hatte.

Irgendwie aber war er die flüchtigen Rendezvous leid. Seine Sehnsucht galt einer Frau, die nur ihm gehörte, die er sich – wenn es ihm gefiel – nehmen konnte, und die ihm alle Wonnen des Ehelebens bescheren sollte. Solche Frauen gab es – warum sollte eine davon nicht auch in den besten, begütertsten Kreisen zu finden sein?

So rechtfertigte Paddleton vor sich selbst sein Schreiben an das Heiratsinstitut »Die Ehe«. Trotzdem beschloß er, niemandem von seinem Vorhaben und von dem Brief zu erzählen. Auch seine Freunde im Klub sollten nichts erfahren. Er konnte sich ausmalen, welchem Spott er sonst ausgesetzt wäre. Im Grunde kam es ihm selbst etwas primitiv vor, durch eine Anzeige eine Frau finden zu wollen. Er beruhigte sich jedoch mit dem Gedanken, daß ja vorerst alles mit absoluter Diskretion behandelt würde. Selbst wenn nichts aus dieser Sache herauskäme, erführe niemand etwas von seiner Handlungsweise; er würde heil und unbescholten aus dieser Angelegenheit herauskommen. Einen Versuch war es in jedem Fall wert – wenn er es recht bedachte, war er ja auch keine schlechte Partie.

Mr. John Paddleton sollte nicht enttäuscht werden. Am darauffolgenden Montag, dem 24. Mai 1954, saß er in seinem Büro und war mit komplizierten statischen Berechnungen beschäftigt. Schon hatte er alles andere um sich herum vergessen, da klingelte das Telefon auf seinem Schreibtisch. Etwas ärgerlich über die unwillkommene Störung meldete er sich: »Paddleton.«

Eine dunkle, angenehme Frauenstimme antwortete: »Guten Tag. Spreche ich mit dem Ingenieur John Paddleton?«

»Ja, bitte, was kann ich für Sie tun?«

»Ich rufe Sie im Auftrag des Instituts ›Die Ehe‹ an. Sie waren so freundlich, auf unsere Chiffreanzeige vom vergangenen Mittwoch in der ›New York Times‹ zu antworten.«

»Ja, das stimmt.« Paddletons Unmut war schlagartig verflogen. Er spürte, wie sein Herz mit einemmal schneller schlug. Der Anruf hatte ihn ziemlich überrumpelt, so daß er nach Worten suchen mußte.

»Wir fanden Ihren Brief auf Anhieb besonders nett und interessant«, schmeichelte die Frauenstimme. »Haben Sie noch Interesse an unserem Angebot?«

»Ja, natürlich . . . sehr gerne . . . ich meine . . . deswegen habe ich ja geschrieben . . .«, stammelte Paddleton aufgeregt und verzweifelt.

Die Frau am anderen Ende der Leitung schien aber seine Aufregung nicht zu merken. Jedenfalls fuhr sie fort:

»Wir könnten Sie schon morgen, also am Dienstag, mit einer netten, hübschen Dame aus ersten Kreisen bekannt machen. Sie ist 31 Jahre alt, hellblond, schlank – aber nicht ohne Formen, besitzt in Minnesota eine Fabrik und wurde vor drei Jahren schuldlos geschieden. Gefällt Ihnen das, Mister Paddleton?«

»Ja, sehr gerne«, konnte Paddleton wieder nur einfältig sagen. Er hätte sich ob seiner Erregung am liebsten selbst geohrfeigt. »Darf ich Ihnen dann einen Termin vorschlagen? Morgen nachmittag, genau um 16 Uhr, wartet am Eingang der Straße durch den Central Park, Ecke Central Park South/Seventh Avenue, ein hellgrauer Bentley auf Sie. Diesen Wagen können Sie nicht verfehlen. In ihm sitzt unsere Klientin. Würden Ihnen Zeit und Ort zusagen?«

Paddleton zögerte nicht lange und sagte zu. Sein Gesicht glänzte. Eine Hellblonde, dachte er. Und die Andeutung »nicht ohne Formen« übersetzte er für sich sogleich mit »kurvenreich«. Er spürte, wie er begann ungeduldig zu werden. Innerlich schimpfte er bereits darüber, daß zwischen heute und dem Zusammentreffen ein voller Tag zu überbrücken war.

Als die Anruferin schon einige Zeit aufgelegt hatte, saß Paddleton noch unbeweglich an seinem Tisch, dann legte er fast zärtlich den Telefonhörer auf. Schuldlos geschieden, sinnierte er. Und hübsch, sagte sie. In einem Bentley am Central Park erwartet sie mich . . . Mensch, alter Junge, da sage noch einer was gegen Heiratsanzeigen.

Er zog seinen Mantel an und eilte auf die Straße, um seine Freude mit einem Glas echten deutschen Bieres zu begießen, das es in dem deutschen Restaurant an der Ecke gab.

Am 25. Mai, dem Morgen jenes Tages, an dem er nachmittags um 16 Uhr zum Rendezvous kommen sollte, las er beim Frühstück wie Millionen andere New Yorker die kurze Meldung, daß im Hafenviertel ein unbekannter Toter aufgefunden worden war. Er las darüber hinweg und blätterte den Wirtschaftsteil auf, denn hier wurde über die neuen Planungen der großen Firmen berichtet. Paddleton war als Sachverständiger für statische Berechnungen bekannt. Wenn irgendwo eine Brücke gebaut wurde – sein Name stand immer auf der Liste der möglichen Konstrukteure. Deshalb bedeuteten für ihn neue Planungen stets neue Geschäfte. Doch diesmal konnten die Meldungen kaum seine Aufmerksamkeit finden. Paddleton war viel zu unruhig, zu erwartungsvoll. Der Vormittag verging ihm viel zu langsam, und schon kurz nach dem Lunch betrat er ein Blumengeschäft, um Rosen zu kaufen. Er entschied sich dann aber doch für dunkelrote, gefüllte Nelken. 25 Stück wurden nach seinen Angaben zu einem großen Strauß zusammengestellt. Mit ihm bestieg er um 15.30 Uhr ein Taxi und ließ sich zum Plaza-Hotel fahren. Den letzten Teil des Weges ging er zu Fuß.

Und schon sah er ihn stehen – den hellgrauen, breiten Bentley. Sein Herz schlug heftig. Er beschleunigte seine Schritte und rannte fast auf den hellgrauen Wagen zu. Er fühlte sich plötzlich jung, unbeschreiblich jung, und voller Unternehmungslust.

Mit einem Lächeln erreichte er den hellgrauen Wagen . . .

In der Nacht vom 26. auf den 27. Mai fischte die New Yorker Strompolizei aus dem Wasser von Coney Island, nahe dem berühmten Vergnügungspark, eine männliche Leiche. Sie hatte keine Papiere bei sich, keine Schlüssel, kein Portemonnaie; und aus dem Anzug und der Unterwäsche waren die Firmenetiketten herausgetrennt . . .

6

Etwas außerhalb New Yorks, bei Paterson am Passaic River, lag, hinter dichtem Strauchwerk versteckt und umgeben von hohen Pappeln, eine gutsähnliche, weiße Villa.

Vor sechs Jahren hatte eine junge Frau mit Namen Ronnie Wals dieses Anwesen gekauft. Mrs. Ronnie war damals erst 25 Jahre alt und keiner im nahen Paterson wußte, woher sie das Geld hatte, diesen großen Besitz aus der Hinterlassenschaft eines kinderlos verstorbenen Marmeladenmillionärs zu erwerben. Es wurde behauptet, daß Mrs. Wals die Witwe eines in den letzten Kriegstagen gefallenen amerikanischen Hauptmannes sei, den sie, knapp achtzehn Jahre alt, in den Südstaaten geheiratet hatte. Dieser habe ihr als Alleinerbin sein großes Vermögen vermacht. Jedenfalls lebte sie allein und zurückgezogen auf ihrem Gutsbesitz, ging selten aus, fuhr ab und zu nach New York hinein, um Shopping zu gehen, und umgab sich nur mit einem ältlichen Fräulein, das den Haushalt führte.

Dabei war Ronnie eine gutaussehende, schlanke, schwarzhaarige und etwas olivhäutige Frau, die wußte, daß sie schön war und auf Männer wirkte. Daß man sie trotzdem nie in Begleitung eines Mannes sah, erzeugte verständlicherweise Verwunderung, doch man nahm es schließlich als Beweis für einen wirklich sittsamen Lebenswandel der schönen Witwe.

Sie verbrachte viele Stunden des Tages mit Gartenarbeit. Man konnte – durch die leider zu dichte Hecke – nur mühsam sehen, wie sie die Rosen beschnitt oder die Obstbäume spritzte, in einer engen Jeanshose, die ihre schlanke Figur betörend unterstrich. Oder sie saß auf der Terrasse des Hauses in einem Schaukelstuhl unter einem Sonnenschirm und las. Sie mußte eine große Bibliothek haben, denn noch nie hatte sie sich in den vergangenen sechs Jahren bei den beiden Leihbuchhändlern ein Buch ausgeliehen; und das taten sogar der Bürgermeister und der Apotheker! Abends ging sie früh zu Bett, denn kurz nach dem Dunkelwerden erloschen die Lichter auf dem Gut.

Die Verwaltung des Besitzes war einem wirtschaftlichen Inspektor übertragen, der frei auf seinen Feldern regieren konnte und der zum Monatsende pünktlich sein Gehalt mit der Post erhielt. Auch er hatte Mrs. Wals in den ganzen Jahren nur ein paarmal bei dringenden Anlässen gesehen; den gesamten Ablauf besprach er mit Elizabeth Ready, dem ältlichen Fräulein, das anscheinend von Mrs. Wals alle Vollmachten übertragen erhalten hatte.

Diese Elizabeth Ready war demnach auch im Dorf gut bekannt und sehr beliebt. Man schätzte ihr Alter auf etwa 62 Jahre, und wenn ihr Gesicht auch schon Falten hatte und etwas eingefallen war, so konnte doch jeder sehen, daß sie in ihren jüngeren Jahren eine Schönheit gewesen sein mußte. Einmal hatte sie erzählt, daß sie nie verheiratet gewesen sei. Ihr Leben lang hätte sie unverheirateten Frauen als Gesellschaftsdame gedient. Dadurch sei sie natürlich viel in der Welt herumgekommen. Nun aber wäre sie froh, mit Mrs. Wals zusammen ein ruhiges, zurückgezogenes Leben führen zu können – denn schließlich sei sie nicht mehr die Jüngste. Aber dieses Gespräch, in dem kleinsten Drugstore Patersons geführt, blieb dann auch der einzige Einblick, den Elizabeth Ready Dritten in ihre Vergangenheit gewährte. Man nahm ihr das nicht übel und sagte sich, daß eine 62jährige auch ihre Eigenarten haben dürfe. Manche mutmaßten natürlich auch, die Zurückhaltung sei vielleicht darauf zurückzuführen, daß es da eben doch einmal einen Mann in Miss Readys Leben gegeben habe.

Noch verschlossener aber blieb die Hausdame, wenn sie auf das Vorleben ihrer Arbeitgeberin angesprochen wurde. Keine Auskunft kam über ihre Lippen – außer der Feststellung, daß sie ja erst seit sechs Jahren im Dienst von Mrs. Wals sei und schon deshalb nicht wissen könne, was vorher gewesen sei und woher die Frau ihr Geld habe. Aber selbst wenn sie es wüßte – fügte sie jedesmal abschließend hinzu –, würde sie niemals etwas über ihre Herrschaft verlauten lassen. Womit bewiesen war, daß Miss Ready wirklich eine Hausdame alter Schule verkörperte.

Langsam verebbten auch die Wogen der Neugier in Paterson, und man sprach nur noch selten von den zwei einsamen Frauen da draußen in der weißen Villa. Doch eines

Tages rückten die beiden wieder in den Mittelpunkt des Interesses. Man wunderte sich nämlich, daß seit einiger Zeit öfter ein Mann zu Besuch kam und offensichtlich auch von Mrs. Wals empfangen wurde. Es war der kleine Bankier und Geldverleiher Ernest Carlton, der in New York ein sehr übel angesehenes Institut betrieb, mit dem er verkrachte Existenzen unterstützte. Allerdings wurde er nur tätig, wenn er sich einen erheblichen Anteil an den Geschäften sichern konnte. Mit anderen Worten: Mr. Carlton war ein Geldwucherer. Sein Aussehen war ebenfalls nicht geeignet, jemanden für ihn einzunehmen. Seine Gestalt war hager und etwas nach vorne gebeugt; er hatte ein verkniffenes Mausgesicht, und besonders abstoßend wirkten seine nikotingelben Finger. Doch er sprach, als seien seine Zunge und sein Gaumen mit Samt ausgelegt, und es bedurfte großer Nervenkraft, bei dieser ruhigen, schleichenden Stimme nicht nervös zu werden. Die Geschäfte, die Carlton und Mrs. Wals zusammenführten, blieben unbekannt. Man bemerkte in Paterson nur, daß eine neue Scheune gebaut wurde und folgerte daraus, daß das Geld für diese Erweiterung aus den schmierigen Fingern Ernest Carltons stammen mußte.

»Dann ist sie weit genug!« munkelte man in Paterson. »Wenn Carlton die Wals unterstützt, steht es schlecht um sie. Dann gehört ihm bald das ganze Gut.«

Dabei wußte niemand in Paterson, daß Carlton nicht nur wegen seiner Zinswucherei übel beleumundet war, sondern daß es noch einen weiteren dunklen Punkt in seinem Leben gab. Er hatte acht Monate lang wegen einer Erpressung im Gefängnis gesessen. Das lag jetzt schon neun

Jahre zurück – aber in den Karteien der Polizei befand sich sein Bild, und dort waren auch seine Fingerabdrücke registriert.

Und ausgerechnet auf Carlton stieß die Polizei, als man den zweiten Toten als John Paddleton identifizierte und in dessen Wohnung eine Schreibmappe entdeckte, die neben sonstiger Korrespondenz auch einen Brief von Ernest Carlton enthielt.

Der erste Hinweis und eine winzige Spur.

7

Henry Corner und Stewart Bennols hatten in Trenton wenig Glück. Die Schuhfirma erwies sich als ein Fabrikationsbetrieb, der unmöglich angeben konnte, wer alles die Schuhe trug. Auch ein Bild des Toten stieß auf Achselzukken; er war in Trenton unbekannt. Enttäuscht saßen Corner und Bennols auf der Veranda eines Cafés und sahen auf die belebte Landstraße unter sich.

»Es hilft alles nichts. Wir müssen das Bild an die Zeitungen geben und um die Mitwirkung der Bevölkerung bitten. Das wird zwar die Presse veranlassen, wieder einmal hämische Artikel über unsere vermeintliche Unfähigkeit vom Stapel zu lassen, aber auf die bisherige Weise kommen wir nicht weiter!« Bennols trank seine Coca-Cola und sah dabei seinen Vorgesetzten an. »Oder haben Sie eine andere Meinung?«

Henry Corner lehnte sich in den Korbsessel zurück.

»Der Tote war irgendwo eingeladen«, sinnierte er. »Das beweisen seine Schuhe, sein Anzug, sein Hemd, seine Krawatte. Oder tragen Sie einen silbergrauen Schlips und Lackschuhe, wenn Sie auf dem Broadway spazieren gehen wollen?«

»No, Sir«, lachte Bennols.

»Er muß also Bekannte in New York haben! Und an die müssen wir uns halten!«

»Also doch die Presse, Inspector?«

»Aber anders, Bennols. Nicht als Aufruf: Wer kennt diesen Toten? Sondern als Anzeige unter der Heiratsrubrik: Endvierziger sucht nette, gebildete Frau aus besten Kreisen zwecks späterer Heirat kennenzulernen! Und dazu ein Foto des Ermordeten.«

»Tolle Idee! Aber – wenn er längst verheiratet ist?«

»Wird sich seine Frau melden! Andernfalls rechne ich damit, daß sich einige gute Freunde sehr über diese Annonce wundern werden und ihm einen Scherzbrief oder ähnliches schreiben! Auf jeden Fall: Irgend jemand wird sich melden! Dann haken wir ein, Bennols!«

»Und rollen den Faden einfach auf, der uns so in die Finger kommt. Am Ende steht dann der liebe Mörder . . .«

»Daß Sie nie ernst sein können, Stewart«, sagte Corner lächelnd, und Bennols freute sich, denn er merkte, daß der Chef gut gelaunt war.

Corner blieb auch den Mittwoch über in verträglicher Stimmung, obwohl die Ermittlungen nicht einen Schritt vorankamen. Gegen 21 Uhr beschlossen er und Bennols, das Büro zu verlassen und sich einmal einen gemütlichen Abend zu gönnen.

Da klingelte das Telefon.

Corner hob ab und hielt den Hörer sofort ausgestreckt von sich. Denn Murreys Stimme, die sich vor Aufregung fast überschlug, war auch so noch deutlich zu verstehen.

»Ein neuer Toter. Diesmal auf primitive und rohe Weise umgebracht. Mit einem Hammer über den Schädel geschlagen! Schädelbasisbruch! Sofort tot! Man könnte auf einen anderen Mörder schließen, wenn nicht die Umstände die gleichen wären: Alle Spuren an und in den Kleidungsstücken sind verschwunden – wie bei der Hoboken-Leiche! Die gleiche Arbeit! Nur nicht sehr modern-medizinisch, sondern nach Gangsterart: Schlag auf den Kopf! Aus! Basta! Es ist zum Kotzen, Corner!«

Als er den Hörer auflegte, sah Corner den Lieutenant prüfend an. »Sind Sie müde, Stewart?« fragte er.

»Etwas, Chef.«

»Dann denken Sie einmal ans Bett. Sehen werden Sie's bestimmt nicht! Der neue Mord wird uns die Nacht über beschäftigen.«

Bennols sagte etwas, was er bestimmt nicht auf der Schule gelernt hatte und was sehr unfein klang.

8

Die Identifizierung John Paddletons bereitete keine Schwierigkeiten. Er hatte der Polizei einmal, anläßlich eines Attentats auf eine Brücke, geholfen und durch seine Berechnungen den entscheidenden Hinweis auf den Täter geliefert. So war er bekannt und in den Akten registriert. Der Leiter des Erkennungsdezernates übermittelte noch in der gleichen Nacht die Daten des Toten an Murrey, dieser reichte sie an Corner weiter, der sie mit größtem Interesse studierte.

»Witwer, 49 Jahre alt, wohlhabend. Bewohnt eine elegante Drei-Zimmer-Wohnung und beschäftigt dreimal wöchentlich eine Reinmachefrau. Ist Mitglied des Rotary Clubs und wegen seiner Brückenbauten viel auf Reisen. Nicht vorbestraft. Ehrbarer Lebenswandel. Seit sieben Jahren auch vom Staat als Fachmann für statische Berechnungen zu Rate gezogen, zuletzt bei einigen Atomversuchen!«

Corner legte das Blatt Papier auf seinen Schreibtisch und wischte sich über die Augen. »Das Bild eines braven Bürgers der USA! Und was hat ihn bewogen, sich mit einem Mörder einzulassen?«

Murrey lief in seinem großen Zimmer auf und ab und rang die Hände. Bennols saß müde und gähnend in einer Ecke auf einem alten Stuhl und rauchte seine schreckliche Pfeife.

»Zwei Gentlemen«, sagte er gelangweilt. »Der Mörder muß in den besten Kreisen verkehren.«

»Das ist es ja!« Murrey stoppte seine Wanderung, indem er ruckartig stehen blieb. »In der Unterwelt kennen wir uns aus. Aber sobald es nach oben geht . . . Schluß! Auf eines allerdings freue ich mich: Auf die Reaktion von Paddletons Umgebung, wenn morgen der Mord in allen Zeitungen zu lesen sein wird.«

Diese Freude sollte Murrey haben. Er erhielt sogar die Genugtuung, bei der Durchsuchung von John Paddletons komfortabler Wohnung auf die Mappe mit dem Brief Ernest Carltons zu stoßen, was ihn veranlaßte, laut und kräftig zu pfeifen.

»Sieh an, sieh an«, meinte er zu Corner gewandt, der die anderen Briefschaften sicherte, nachdem er den Inhalt des von der Polizei geöffneten Safes, der sich hinter einem Ölgemälde befand, besichtigt hatte. »Der gute John war ein Kunde Carltons! Eigentlich erstaunlich bei seinem Einkommen! Das paßt gar nicht zu ihm. Wir werden uns den lieben Carlton einmal vornehmen.«

»Hier ist eine Aufstellung neuesten Datums der Vermögensverhältnisse Paddletons«, sagte Corner und hielt Murrey ein eng beschriebenes Papier hin. »Wir fanden dies im Safe. Danach befinden sich auf einem Konto bei der Chase Manhattan Bank 32 683 Dollar. Seine Häuser und Grundstücke in New Orleans beziffert er insgesamt auf einen Wert von 71 800 Dollar.«

»Netter Goldfisch«, sagte Bennols.

Henry Corner wanderte durch die mit Geschmack eingerichtete, penibel aufgeräumte und peinlich saubere Wohnung. In einem Zeitungsständer lagen die neuesten

Ausgaben fast aller Tageszeitungen, die in New York herausgegeben werden. So die »Life« und eine Wochenillustrierte für technisch Interessierte. Corner übersah, daß die »New York Times« vom Mittwoch, dem 19. Mai, so gefaltet lag, daß die Heiratsanzeigen nach oben zeigten; sein Blick glitt über den Zeitungsständer hinweg. Ihn interessierten mehr die Bücherregale, die sich an den Wänden entlangzogen und die neben aktuellen Romanen sehr viel Fachliteratur enthielten.

Bennols hatte die Hausbar entdeckt und sie geöffnet. Mit großen Augen stand er vor dem erleuchteten Flaschenfach, dessen Spiegelwände die Flaschen mehrfach zurückwarfen.

»Junge, Junge«, sagte er zu sich selbst. »Die einmal der Reihe nach durchprobieren . . .«

Murrey saß immer noch am Schreibtisch Paddletons und las nun schon zum dritten Male den Brief Carltons.

»Wegen der besprochenen Dinge bitte ich Sie, doch in den nächsten Tagen einmal bei mir vorbeizukommen. Am besten, wir vereinbaren telefonisch einen Termin. Es würde mich freuen, wenn alles zu Ihrer Zufriedenheit verliefe. Ernest Carlton.«

»Haben Sie etwas gefunden?« fragte er dann Corner.

»Nichts, was verdächtig wäre.«

»Eine phantastische Bar«, rief Bennols.

»Ihre Sorgen möchte ich haben!« knurrte Murrey.

Er steckte den Brief in die Tasche, nachdem er die Mitnahme des Schreibens auf einem Beschlagnahmeschein quittiert hatte.

»Am besten ist, wir nehmen uns den lieben Ernest sofort

vor«, rief er Corner zu. »Bennols kann solange hierbleiben und die Wohnung versiegeln. Kommen Sie, Corner.«

Die beiden verließen das Haus, in dem Paddleton gewohnt hatte, und stiegen in den Polizeiwagen, der mit heulenden Sirenen davonjagte. Erst im Viertel, in dem das Haus Carltons lag, stellte der Fahrer die Sirene ab und fuhr langsam in die Straße hinein – eine Straße mit schmucken Vorgärten und zweistöckigen Häusern, die so gar nicht zu einer Weltstadt wie New York passen wollten.

Ernest Carlton besaß ein breites, gelbgetünchtes Haus mit einem schönen Garten dahinter. Ein kleines Emailleschild an der Vorgartentür trug seinen Namen.

»Ein biederer Bürger«, sagte Murrey lachend. »Und dabei ein ganz durchtriebener Junge. Hoffentlich ist er zu Hause.«

Auf das heftige Klingeln Murreys hin öffnete Carlton selbst. Augenscheinlich war er bei seinem Mittagsschlaf gestört worden, denn er hatte über seinen gestreiften Pyjama einen seidenen Morgenmantel gezogen.

»Was soll das?« bellte er Corner an, der ihm am nächsten stand.

»Wir wollten Sie einmal begrüßen, Carlton.«

»Wer sind Sie?«

Corner zeigte seine Polizeimarke. Carlton verstand. Er biß sich auf die Lippen und drückte die Tür weiter auf.

»Haben Sie einen Haussuchungsbefehl?« fragte er lauernd.

»Nein, Mister Carlton.«

Murrey schob sich vor. »Wir wollten Sie nur außerdienstlich sprechen. Nett, unter sechs Augen, am gemütlichen Kamin! Ich bin Chief Inspector Murrey.«

Carlton schob die Unterlippe vor. »Ihr Gesicht kenne ich«, knurrte er. »Es war so oft in der Zeitung zu sehen, daß man es sich merken mußte.« Er trat zur Seite und nickte in den Flur. »Kommen Sie rein und machen Sie schnell . . . Ich will weiterschlafen.«

Im Arbeitszimmer Carltons setzten sie sich in die tiefen Polstersessel und sahen sich zunächst schweigend an. Dann, als wollte er Carlton ohrfeigen, schnellte Corner vor und sagte laut: »Paddleton hat Sie angezeigt.«

Ernest Carlton riß die Augen auf und schüttelte ungläubig den Kopf. »Paddleton? Warum denn? Der ist wohl verrückt geworden? Was habe ich ihm denn getan? Er muß völlig durchgedreht sein!«

Murrey und Corner wechselten einen schnellen Blick. Er hat ein reines Gewissen, sollte dies heißen. Die Überrumpelung war mißglückt. Die Korrespondenz zwischen Carlton und Paddleton schien keinen Angriffspunkt zu bieten.

Carlton war jetzt in Erregung gekommen und hieb auf den Tisch. »Was soll das alles?! Was hat Paddleton angezeigt? Daß er durch mich 20 000 Dollar verdienen konnte, wohl nicht? Was also?! Ich habe ein Recht, das als zu Unrecht Verdächtigter zu erfahren!«

Murrey hob die Hand. Er lachte beschwichtigend. »Carlton, Sie sind ein alter Kunde . . .« setzte er an, aber Carlton schnellte empor.

»Ich habe mich seit meiner Entlassung aus dem Gefängnis gut geführt und mir nichts zuschulden kommen lassen! Das andere ist abgesessen und damit vergessen!«

»Gut, gut! Seien Sie nicht so mimosenhaft! Immerhin ist es komisch, daß sich in den Hinterlassenschaften Paddletons ausgerechnet ein Brief von Ihnen befindet.«

Carlton sank in seinen Sessel. Seine Augen wurden starr, das Gesicht wurde plötzlich bleich. »Hinterlassenschaften . . .«, stotterte er. »Hinterlassenschaften. Heißt das . . . daß . . . daß . . .«

»Paddleton ist tot.« Corner sagte es hart und schonungslos. »Er wurde vor rund 24 Stunden ermordet. Wenn Sie es genau wissen wollen: gestern zwischen 12 und 13 Uhr!«

»Ermordet . . .«, stöhnte Carlton.

»Bei der Spurensuche fanden wir Ihren Brief. Hier ist er.« Murrey hielt ihm das Schreiben vor die Nase. »Was soll das heißen: Wegen der besprochenen Dinge?«

»Paddleton wollte mir ein Landhaus bauen«, erklärte Carlton schleppend. »Er betätigte sich nebenbei auch als Architekt und hatte gute Ideen. Die Pläne kann ich Ihnen zeigen. Wir wollten in vierzehn Tagen mit dem Bau beginnen und hatten die Absicht, noch einmal alles genau durchzusprechen. Vor allem die Inneneinrichtung, die ganz modern sein sollte.«

Ernest Carlton erhob sich und holte aus einem Bücherschrank einen Stapel durchgepauster Zeichnungen, die er vor Corner hinlegte.

»Das Haus«, sagte er stockend. Corner warf einen Blick auf die Zeichnungen. Als er die Unterschrift Paddletons entdeckte, schob er die Pläne Murrey zu.

»Was wissen Sie über Paddleton?« fragte Corner weiter.

»Wenig.« Carlton sah auf die Muster des Teppichs. »Er war bekannt als Statiker und Ingenieur. Weil ich in der Zeitung von ihm las, wandte ich mich an ihn und bot ihm für die Bauleitung, die Entwürfe und was so alles bei einem großen Bau zusammenkommt, 20 000 Dollar als Honorar. Er nahm an, und wir planten etwa zwei Monate, bis die Zeichnungen fertig waren. In dieser Zeit kamen wir selten zusammen, wir unterhielten uns meist telefonisch. Er war ein so netter, höflicher Mann ... mehr kann ich Ihnen auch nicht sagen.«

»Hatte er Verwandte?«

»Er war wohl Witwer. Ob von der Seite seiner Frau noch jemand lebt, weiß ich nicht. Er sprach mit mir nie über private Dinge.«

»Und wann haben Sie ihn zuletzt gesehen?«

»Am vergangenen Montag. Auf dieses Schreiben hin kam er abends hierher.«

»Und Sie haben keine Ahnung, wer ihn ermordet haben könnte?«

»Nein.«

Carlton hob den Kopf. »So gut kannten wir uns nicht, wir waren nur geschäftlich verbunden.«

Murrey sah den verschlafenen Carlton scharf an. »Und wo waren Sie gestern zwischen 12 und 13 Uhr?«

»Ich hatte ein geschäftliches Essen mit einem Klienten, der Geld von mir leihen wollte.«

»Und Sie erinnern sich nicht zufällig, wo das war und wie der Name und die Adresse Ihres angeblichen Kunden lauten?« fragte Murrey sarkastisch.

»Ich erinnere mich sogar ganz genau. Das Mittagessen

fand im Restaurant ›Le Champignon‹ in der 56. Straße statt. Man ißt dort vorzüglich. Französische Küche!«

Aber Murrey hatte jetzt kein Ohr für solche Empfehlungen. »Und Ihr Klient?« drängte er.

»Ein Mr. Norfolk. James Norfolk. Irgendwo muß ich auch seine Adresse haben.«

Carlton mühte sich aus dem Sessel, ging zum Schreibtisch und wühlte dort in verschiedenen Papieren. Dann kam er mit einer Visitenkarte zurück, die er Murrey reichte.

»Norfolk wohnt in New Jersey, wie Sie sehen. Sie können sich von ihm die Richtigkeit meiner Angaben bestätigen lassen.«

Murrey bat Corner, sich die Anschrift zu notieren. Dann erhoben sich die beiden Beamten. Sie ließen sich vor Carlton nicht ihre Enttäuschung darüber anmerken, daß auch diese Spur im Sande verlaufen war. Corner rang sich sogar ein Lächeln ab. »Gratuliere, Carlton«, äußerte er. »Ihr Alibi ist offensichtlich hundertprozentig.«

Der Geldverleiher quittierte diese Äußerung mit einer unwirschen Gebärde. »Und deswegen haben Sie meinen Mittagsschlaf unterbrochen. Ich werde jetzt nicht wieder zur Ruhe kommen.«

Murrey murmelte Unverständliches, was aber wohl als Entschuldigung gedacht sein sollte.

9

Kaum waren Murrey und Corner wieder im Büro, kam Bewegung in die festgefahrene Untersuchung. Als die Polizei nämlich, aufgrund der Hausdurchsuchung, sofort das Konto Mr. Paddletons bei der Chase Manhattan Bank sperren wollte, wurde ihr mitgeteilt, daß von diesem Konto am vorangegangenen Tag mittels eines Barschecks 30000 Dollar abgehoben worden waren.

Inspector Corner jagte mit Bennols sofort zur Bank und ließ sich im Zimmer des Direktors den Scheck zeigen. Dieser war ordnungsgemäß ausgestellt, die Unterschrift war nicht gefälscht, der Empfänger stand nicht auf dem Scheck. Das Datum lautete auf den 25. Mai 1954.

Der Bankdirektor fuhr sich mit zitternden Fingern durch die lichten, grauen Haare. »Wie konnten wir das ahnen, Inspector«, sagte er erschüttert. »Der Scheck ist in Ordnung! Wir hatten keinerlei Handhabe, ihn zurückzuweisen.«

»Natürlich nicht. Wer denkt auch daran, daß der Mörder am Tage des Mordes in aller Ruhe einen von seinem Opfer ausgestellten Scheck einlöst. Der Bursche muß sich verdammt sicher gefühlt haben.«

»Bursche?« Der Bankdirektor lächelte schwach. »Nach der Aussage des Kassierers war der Einlöser eine Frau!«

»Was?« Henry Corner blickte den Direktor entgeistert an. »Eine Frau?«

»Ja. Eine ältere Frau, sagte mir der Mann vom Schalter.«

»Auch das noch!« Corner sah zu Bennols hin, der sich in seinem abgegriffenen Notizblock die Einzelheiten notierte. »Kann ich Ihren Angestellten einmal selbst sprechen?« bat er dann den Direktor.

»Sofort, Sir.«

Corner steckte den Scheck mit Hilfe einer Pinzette vorsichtig in einen Briefumschlag. »Wer hat ihn alles in der Hand gehabt?« fragte er Bennols.

»Soweit es zu ermitteln ist, ein Schalterbeamter, der Kassierer, ein Mann in der Registratur, der Direktor, ich, Sie . . .«

»Also fast die gesamte Belegschaft. Trotzdem bestehe ich auf einem Vergleich der Fingerabdrücke. Vielleicht hat die ältere Dame ihre Merkmale auch hinterlassen.«

»Vornehme Damen tragen Handschuhe, wenn sie ausgehen. Das schreibt die Mode vor. Sie werden da kein Glück haben, Mr. Corner.«

Es klopfte, und der Kassierer trat ein. Er machte einen soliden Eindruck, und seine Angaben waren bestimmt glaubwürdig. Demnach war kurz nach der Eröffnung der Bank, morgens um 8.15 Uhr, die ältere, gutgekleidete Dame in der Schalterhalle erschienen und hatte den Scheck über 30 000 Dollar vorgelegt. John Paddleton war bekannt und sein Konto gedeckt; die Unterschrift sah nicht gefälscht aus. Außerdem wußte man in der Bank, daß er des öfteren Schecks über größere Beträge ausstellte, um neue Liegenschaften zu kaufen; zum Ausgleich ließ er dann auch wieder beträchtliche Summen überweisen. Deshalb hatte man anstandslos den Scheck honoriert. Die ältere Frau war ohne Eile mit den 30 000 Dollar aus der Bank gegangen.

»Und Sie haben nichts Auffälliges oder Außergewöhnliches bemerkt?« fragte Corner den Kassierer. Dieser schüttelte den Kopf.

»Wir hatten ja keinen Argwohn.«

»Ja, verständlich. Können Sie das Alter abschätzen?«

»Etwa zwischen sechzig und fünfundsechzig, glaube ich. Und die Frau war fast elegant gekleidet. Nicht übertrieben, aber sie sah gepflegt aus. Außerdem trug sie einen Hut, und Handschuhe hatte sie auch an. An mehr kann ich mich aber beim besten Willen nicht erinnern.«

Corner nickte Bennols zu. Der Lieutenant zog daraufhin einige Bilder aus der Brusttasche. Der Inspector schob sie vor den Kassierer und den Bankdirektor hin und zeigte auf die glänzenden Abzüge.

»Kennen Sie diesen Mann, meine Herren?«

Der Direktor schüttelte den Kopf. Auch der Kassierer verneinte. »Ich habe leider kein sehr gutes Personengedächtnis«, fügte er erklärend hinzu.

»Es ist Opfer Nummer zwei – oder besser, Nummer eins, denn wir entdeckten ihn vor Mr. Paddleton. Er ist ebenfalls ohne Papiere gefunden worden und anscheinend in New York nicht bekannt. Morgen wird sein Bild in allen großen Zeitungen der Stadt erscheinen.«

»Viel Glück!« Der Bankdirektor lächelte schwach. »Ich möchte nicht mit Ihnen tauschen, Inspector. Es ist leichter, Zahlen zu überwachen, als einen Mörder zu suchen. Ein bestimmt anstrengender Beruf, oder?«

Corner hob die Schultern. »Jeder Verbrecher fängt sich in seinem eigenen Netz! Das vollkommene Verbrechen hat es noch nie gegeben! Und auch der Mörder Mr. Paddletons und unseres Unbekannten wird sich eines Tages auf dem elektrischen Stuhl von Sing-Sing wiederfinden!«

»Hoffen wir es, Sir.«

Der Bankdirektor drückte Corner und Bennols die Hand und atmete sichtlich auf, als diese das Zimmer verlassen hatten. Polizei im Haus. Das ist immer ein merkwürdiges Gefühl; selbst wenn man vollkommen unschuldig ist.

Das Bild des unbekannten Toten von Hoboken erschien bereits in einem Teil der Abendausgaben der großen Blätter. Corner hatte darauf gedrängt. Er hoffte so sehr auf einen Erfolg seiner Idee.

Auch während des nächsten Tages liefen die Ermittlungen im Fall Paddleton weiter. Inspector Corner ließ den Geldverleiher Carlton beschatten, dieser aber schien die Überwachung zu ahnen und blieb brav zu Hause. Auch einen geplanten Ausflug nach Paterson zu Mrs. Ronnie Wals unterließ er, und so kam es, daß Corner zunächst nichts über diese Verbindung erfuhr. Die Angaben Carltons stimmten. Man fand in den Akten Paddletons genaue Aufzeichnungen über die Geschäfte mit Carlton sowie einen durchgepausten Plan des projektierten Landhauses. Sosehr sich Corner auch bemühte – er entdeckte nichts, was ihm ermöglicht hätte, gegen Carlton vorzugehen und vielleicht so auch die anderen dunklen Geschäfte des Mannes aufzuspüren.

Am Abend des 28. Mai, an jenem Tag, an dem auch die Morgenpresse von New York das in der Heiratsanzeige wiedergegebene Bild des ersten Toten verbreitet hatte, wurde der dritte Mord gemeldet. Dieses Mal hatte sich der Mörder eine andere Gegend ausgesucht. Ein von einer Sportveranstaltung zurückkommender Baseball-Spieler sah in einer Toreinfahrt in der Mike Street einen Mann liegen. Die Mike Street befindet sich im New Yorker Stadtteil College Point, nahe der romantischen Flushing Bay am East River.

Der einsame Baseball-Spieler wollte erst an dem Liegenden vorbeigehen, weil er an einen Betrunkenen glaubte, doch dann fiel ihm die verkrampfte Haltung auf. Er ging also ein paar Schritte zurück und beugte sich über die Gestalt. Dann rannte er fort zur nächsten Telefonzelle und rief die Polizei an. Wieder gellte das Alarmsignal durch die nächtlichen Räume des Präsidiums. Captain Ralph Pesk, der Nachtdienst hatte, fluchte, als er die Meldung, die aus dem Flushing-Bay-Revier kam, erhielt.

»Der Dritte!« fauchte er wütend. »Corner und Murrey werden sich ein Loch in den Bauch beißen . . .«

Und auch Doctor Donnath, der Polizeiarzt, fluchte, als ihn ein Polizeibeamter aus dem Bett schellte und ein Einsatzwagen ihn in die Nacht entführte, hinaus zum dunklen, drohend erscheinenden East River.

10

Eine Stunde nach Pesk trafen auch Murrey und Corner mit
Bennols am Fundort der Leiche ein. Der lange Bennols
machte das Gesicht eines zum Tode Verurteilten. In den
letzten Nächten war er kaum ins Bett gekommen, und so
empfand er eine tiefe Sehnsucht, sich einfach irgendwo
hinzulegen und zu schlafen. Er betrachtete den Toten mit
einem bösen Blick und gähnte dann.

»Wenn man den Mördern doch angewöhnen könnte,
nicht immer nachts die Menschheit zu dezimieren«,
seufzte er. »Wie schön wäre ein Mord bei Sonnenschein.«

»Lassen Sie Ihre dummen Bemerkungen, Stewart«,
knurrte Murrey und sah Corner zu, der den Toten genau
untersuchte, nachdem die Fotografen die Bildfläche ge-
räumt hatten.

»Das alte Lied, was? Keine Papiere, Etiketten herausgetrennt . . .«

»Diesmal nicht. Er hat alles bei sich. Brieftasche, Geld-
börse . . . Demnach muß es sich um den 41 Jahre alten Gemüsehändler Mario Bertolli handeln. Amerikanischer
Staatsbürger, wohnhaft in Queens 33. Ditmars-Boule-
vard. Zur Abwechslung hat man ihn von hinten mit einem
Nylonstrumpf erdrosselt!«

»Mit einem Nylonstrumpf?!« Murrey verzog sein Gesicht. »Wie können Sie das wissen?«

»Er hat sich gewehrt und dabei den Strumpf zerfetzt.
Unter seinen Fingernägeln befinden sich kleine Fasern des
Strumpfes. Wir werden das nachher im Laboratorium ge-

nau untersuchen. Dann wissen wir mehr.«

Corner erhob sich aus seiner knienden Haltung und gab den Toten für Doctor Donnath frei, der nach einer kurzen Untersuchung Corners Worte bestätigte.

»Erwürgt. Einwandfrei! Nach kurzem Kampf. Dem Gesichtsausdruck nach kam der Überfall plötzlich und unerwartet. Er wurde ermordet und glaubte nicht daran.«

Doctor Donnath schob die Unterlippe vor und sah Murrey und Corner eine Weile schweigend an.

»Wenn das alles nicht so bestialisch und grausam wäre, würde ich sagen: Der Täter ist eine Frau!«

Chief Inspector Murrey winkte ab. »Das ist doch unmöglich!«

Während die Leiche auf eine Bahre gelegt und in den Ambulanzwagen geschoben wurde, lehnte Corner an dem Kotflügel seines Wagens und rauchte eine Zigarette.

»Rekonstruieren wir einmal den Fall, Chief«, sagte er ruhig. »Ein Mann aus Queens wird an der Flushing Bay gefunden. Was tat er dort? Bestimmt wollte er sich nicht den East River bei Nacht ansehen. Man hatte ihn dorthin bestellt. Hier am Wasser hatte er ein Rendezvous! Eine Frau erwartete ihn, sie sprachen miteinander, sie tauschten sogar Zärtlichkeiten aus . . . es scheint mir fast, als habe die Frau bei diesen Zärtlichkeiten ihre Strümpfe ausgezogen, vielleicht um sie nicht zu zerreißen! Romantisch so etwas! Schäferstunde an der Flushing Bay. Und während der liebestrunkene Mario Bertolli noch von der Liebe schwärmt, kommt sie plötzlich von hinten und legt ihm einen zusammengerollten Nylonstrumpf um den Hals. Er empfindet das als Scherz, als einen Reiz vielleicht, er lacht und greift nach den Strümpfen. Sie aber zieht kalt und ungerührt weiter zu, bis er in seiner Todesangst die Strümpfe zerreißt. Aber da ist es schon zu spät. Noch ein kräftiger Zug. Er bekommt keine Luft mehr, wird bewußtlos – sie zieht weiter zu und erwürgt ihn. Das ist auch für eine Frau ganz einfach. Man benötigt nicht übermäßig viel Kraft dazu. Die Festigkeit des Nylons hilft dabei sehr.«

Corner warf die ausgerauchte Zigarette fort.

»So kann es gewesen sein.«

Murrey spürte, wie er trotz der kühlen Mainacht zu schwitzen begann.

»Eine Frau«, sagte er leise.

»Das wäre meines Wissens die erste Frau in den USA, die innerhalb einer Woche drei Männer auf dreierlei Arten umbringt!«

Bennols steckte sein Notizbuch ein und gähnte wieder. »Und ein Zeichen fortschreitender Zivilisation: Gleichberechtigung der Frau! Warum soll es die nicht auch in der Kriminalität geben . . .?«

Stumm und wütend wandte sich Murrey ab und stapfte zu seinem Wagen zurück.

11

Corner erhielt wenige Stunden später einen der wichtig-
sten Hinweise. Der Gemüsehändler Bertolli war bekannt,
sogar dem zuständigen Polizeirevier, weil er einmal un-
verzollte Waren verkauft hatte. Er wurde als ein freundli-
cher Mann geschildert, unverheiratet, aber mit der Absicht, sich bald zu verehelichen. Sein Kompagnon wurde
noch in der Nacht von der Polizei aus dem Bett geholt und
zu Corner gebracht, wo er aussagte, daß Mario Bertolli
sich geäußert habe, er werde vielleicht bald heiraten, da er
sich auf eine Heiratsanzeige als Interessent gemeldet habe.
Schon nach wenigen Tagen habe er einen Anruf erhalten
und sei zu einem Treffen eingeladen worden. Diese Verabredung sei seines Wissens für gestern geplant gewesen.

Henry Corner spürte, wie ein Schauer durch seinen
Körper lief. Auch Bennols, der über die Mithöranlage das
Gespräch verfolgte, vergaß seine Müdigkeit und spuckte
etwas Tabak, der ihm beim Rauchen auf die Zunge gekommen war, auf den Boden.

»Toll«, sagte er leise.

»Waren Sie bei dem Telefongespräch anwesend?« fragte
Corner.

»Nein«, sagte der verschlafen wirkende Mann.

»Mario erzählte mir davon. Die Anzeige habe ich nicht
gesehen. Ich vermute allerdings, daß Sie diese in seiner
Wohnung finden werden, da er kein Mensch war, der
schnell etwas wegwarf.«

»Danke.«

Corner rief Pesk. »Tut mir leid«, sagte er. »Die Nacht ist für Sie noch nicht vorbei. Sie müssen Bertollis Wohnung durchsuchen. Und achten Sie vor allem darauf, ob Sie eine Heiratsanzeige oder eine in diese Richtung weisende Korrespondenz finden. Sollte dies der Fall sein, lassen Sie mir bitte die Unterlagen sofort zustellen.«

Als Pesk gegangen war, griff Corner nach seinem Hut.

»Wieder weg?« maulte Bennols. »Wissen Sie eigentlich noch, wie das ist: Augen zumachen und schlafen?«

Corner warf Bennols den Mantel zu und lachte. »Wenn wir die Akten schließen können, Stewart, können Sie schlafen, solange Sie wollen!«

»Schön wär das!« seufzte Bennols. »Aber wenn der eine Fall zum Richter geht, tauchen dafür drei neue auf. Ich werde mein Bett vermieten; dann habe ich wenigstens einen Nutzen davon.«

Sie fuhren zu der Wohnung Mr. Paddletons, erbrachen das Siegel, mit dem die Eingangstür verschlossen war, und betraten die eleganten Räume. Ein kurzer Blick zum Zeitungsständer genügte Corner, um das zu entdecken, was ihm vor rund vierzig Stunden entgangen war. Er bückte sich und ergriff die zusammengefaltete »New York Times«. Eine Anzeige war rot angestrichen – eine Heiratsanzeige des Instituts »Die Ehe«.

»Daß ich das übersehen habe, Bennols«, sagte Corner und ließ sich in einen Sessel fallen. »Am 19. Mai erschien die Anzeige in den Zeitungen. Jetzt schreiben wir den 29. Mai! In diesen 10 Tagen hatte der Mörder Zeit zu arbeiten! Was das Schlimmste ist – er wird weiterarbeiten, wenn wir nicht schnell zugreifen!«

»Zugreifen? Wo?«

»Beim Institut ›Die Ehe‹!«

»Und Sie glauben wirklich, daß es dieses Institut gibt?«

»Nein. Natürlich nicht. Warum sonst die Chiffre? Wenn es bestünde, wäre die volle Adresse angegeben worden. Daß es nicht geschah, hätte die Ehelustigen stutzig machen sollen. Aber wer sieht auf solch einen kleinen Schönheitsfehler, wenn er vermögende Damen geboten bekommt, die Einheirat in Industriebetriebe garantieren.«

Systematisch ackerte Corner in den folgenden Stunden den Zeitungsstapel durch, der in einer Ecke der Bibliothek aufgeschichtet war. Alle Blätter vom 19. Mai sortierte er aus, und er wunderte sich, wie viele Zeitungen Paddleton jeden Tag und jede Woche erhielt.

Vom 19. Mai waren sechs Blätter vorhanden. Aber nur noch in der »Daily News« fand Corner die Anzeige des Instituts »Die Ehe«. Doch da es zwei auflagenstarke Zeitungen waren, hatte sich der Mörder schon damit ein weites Feld für seine Tätigkeit erschlossen. Die Motive lagen für Corner mit einemmal klar auf der Hand. Durch Anzeigen wurden heiratswillige, vermögende Männer mittleren Alters angelockt, man bestellte sie an einen vorher telefonisch vereinbarten Ort und veranlaßte sie auf irgendeine Weise, einen Scheck über fast ihr gesamtes flüssiges Vermögen auszuschreiben. Dann löste man in aller Ruhe den Scheck ein, ermordete das Opfer und entledigte sich des Toten. So war es jedenfalls bei Mr. Paddleton gewesen. Aber wer steckte hinter diesen Anzeigen? Wer war das Institut »Die Ehe«? Wer war der Mörder?! Und wer war diese Frau, die Paddletons Scheck eingelöst hatte? Eine Komplizin? Eine Uneingeweihte, die nur den Auftrag des Mörders ausführte? Oder die Mörderin selbst?

Henry Corner erhob sich von Paddletons Schreibtisch und steckte die Zeitungen in seine Aktentasche.

»Wir werden viel Arbeit bekommen, Stewart«, sagte er zu Bennols.

»Vermiesen Sie mir den Morgen nicht, Inspector!«

»Wir müssen wissen, ob noch andere Zeitungen, eventuell auch auswärtige, dieses tödliche Inserat gebracht haben! Dann muß die bestimmte Chiffre überwacht werden. Vielleicht sind noch Zuschriften eingegangen, die sich der Mörder in den nächsten Tagen abholt.«

»So dusselig wird er nicht sein!«

»Oder er rechnet damit, daß wir nicht alle Blätter kennen, die diese Anzeige brachten. Und damit hat er recht, wenn es uns wenigstens gelingt, sämtliche Zeitungen nach dieser Anzeige durchzusuchen.«

Bennols wischte sich die Nase. »Sie haben ja allerhand vor, Sir!«

»Durch Mitarbeit des FBI muß es uns gelingen, Stewart! Ich werde Murrey gleich bitten, daß er seine Verbindungen spielen läßt. Wir brauchen diese Unterstützung dringend. Wenn wir wissen, wohin wir uns überhaupt wenden müssen, können wir etwas unternehmen. Wenn diese Methode Schule machen sollte, wird es bald überall in den Vereinigten Staaten solche Morde geben. Deshalb ist das eine Angelegenheit des FBI! Deshalb werde ich die Unterstützung bekommen!«

»Und dann, Chef?« Bennols beugte sich gespannt vor.

»Dann bringe ich ihn, oder auch sie, auf den elektrischen Stuhl!«

»Das ist knapp und präzise ausgedrückt!« Bennols knöpfte zufrieden seinen Mantel zu. »Wenn's bloß schon so weit wäre. Ich schlafe bald im Gehen.«

12

Das Verhängnis nahm weiterhin seinen Lauf. In der Nacht, in der Corner und Bennols mit Unterstützung des FBI alle Polizeistationen verständigten, in der Nacht, in welcher der alte Sekretär im Schauhaus einen dritten Toten brummend und schimpfend auf Eis legen mußte, während Doctor Donnath sich nach der Sektion die Hände wusch und Chief Inspector Murrey über einen Bericht brütete, den er an den Commissioner senden wollte, in dieser wirklich ereignisreichen Nacht ging im 64. Stockwerk des Rockefeller Centers im Rainbow Room ein Fest mit Lampions und drei Kapellen zu Ende. Die Ober im weißen Frack servierten zum wiederholten Male eisgekühlten Champagner oder meisterhaft gemixte Cocktails in großen Glasschalen. In der Mitte des riesigen Wolkenkratzerraumes drehten sich auf einer erhöhten Tanzfläche die Paare in wundervollen Kleidern und weißen Smokings, während von allen Seiten farbige Scheinwerfer die Paare in wechselndes bengalisches Licht tauchten.

An einem der Tische, nahe der Fensterfront, von der man einen geradezu märchenhaften Blick über den nächtlichen, erleuchteten Südwestteil New Yorks, über Manhattan und die Upper Bay hatte, saß Mrs. Ronnie Wals in einem schneeweißen, schulterfreien Abendkleid, der gelungenen Kopie eines Dior-Modelles aus Paris. Neben ihr in einem weißen Smoking, in dessen Knopfloch eine rote Nelke steckte, thronte ein schlanker, eleganter Mann in einem der Ledersessel. Seine schon weißen Schläfen schimmerten im Scheinwerferlicht und bildeten einen Kontrast zu seinem braungebrannten Gesicht, in dem die braunen, großen Augen besonders auffielen. Mancher Blick der Vorübergehenden streifte das schöne Paar. Vor allem auf dem Mann blieb mancher Blick der Frauen haften, was Mrs. Wals mit Wohlgefallen und einem stillen Lächeln bemerkte.

»Sie haben ungeheure Chancen, Frank«, sagte sie und beugte sich lachend etwas vor. Ihre weißen Zähne leuchteten hinter den blutrot geschminkten Lippen. Der tiefe Ausschnitt ihres Kleides verbarg nichts und verhalf dem Zauber, den diese schöne Frau ausstrahlte, zu voller Wirkung.

»Ihre braune Farbe macht Sie noch interessanter.«

»Die Sonne Floridas, Ronnie! Bald werde auch ich wieder anders aussehen, wenn die Stadtblässe mich erneut in ihre Gewalt bekommen hat!«

»Was war in Miami?« Mrs. Wals nippte an ihrem Glas und blickte dann über das leuchtende New York. »Schöne Frauen . . .?«

»Nein. Wie könnte ich überhaupt eine andere Frau bemerken, wenn ich an Sie denke, Ronnie?«

Sie lachte und bog sich zurück. Ihr schlanker Leib war eine Verlockung und ein Versprechen zugleich. Frank Scoulder blickte sie bewundernd an: Sie ist wunderbar. Sie zu lieben, wäre sicher die Erfüllung eines Märchens.

»Das ist ein schönes Kompliment, Frank . . .«

»Es ist kein Kompliment, es ist das, was ich fühle, Ronnie.«

»Und das soll ich glauben?«

»Sie müssen es glauben! Ich habe meinen Urlaub abgebrochen, um diesen Abend mit Ihnen verleben zu können. Als ich Ihnen schrieb, der Century Club feiere sein Frühlingsfest, bin ich von Miami herübergekommen, nur, um mit Ihnen zusammen zu sein. Und jetzt sitzen Sie vor mir, wie die ersehnte Fee aus dem Märchenland.«

»Sie werden poetisch, Frank! Wo bleibt Ihre berühmte Nüchternheit? Wollen wir tanzen?«

Frank Scoulder erhob sich und reichte ihr seinen Arm. »In den siebenten Himmel mit Ihnen«, sagte er.

Sie hängte sich bei ihm ein und fühlte, wie die Finger seiner linken Hand sie streichelten, während sie auf die Tanzfläche zugingen. Die tanzenden Paare waren in ein rotes Licht getaucht, das vier in den Ecken angebrachte Scheinwerfer auf das spiegelnde Parkett warfen. Die Kapelle spielte einen Slowfox. Sicher führte Frank Mrs. Wals durch die Tanzenden und drückte den schlanken Körper fest an sich. Fester als der Tanz es ihnen erlaubte.

Ronnie hatte die Augen geschlossen und gab sich ohne Einschränkung dem Rhythmus und der Melodie hin. Sie spürte Franks Arme, die sie festhielten, und sie kam sich geborgen und glücklich wie selten in ihrem Leben vor. Sie wollte nicht mehr an das denken, was hinter ihr lag und von dem niemand etwas wußte, selbst Frank nicht, den sie liebte. Allerdings wollte sie sich diese Bindung selbst noch nicht ganz eingestehen.

Als der Tanz zu Ende war und die Paare sich von der Tanzfläche zurück an ihre Tische begaben, die von verschiedenfarbigen Lampions beleuchtet wurden, kamen Frank und Ronnie an einer Säule vorbei, die mit Girlanden umkleidet war. An ihr lehnte ein Mann in einem schwarzen Anzug und rauchte hastig eine Zigarette. Er warf sie fort, als er Mrs. Wals auf sich zukommen sah und wandte sein Gesicht ab. Erst als Ronnie Wals an ihm vorbeiging, drehte er sich schnell herum. Diese jähe Bewegung ließ Ronnie aufschauen. Sie erbleichte und preßte die Lippen aufeinander, senkte dann den Kopf und ging, als wäre nichts geschehen, an Franks Seite weiter zu ihrem Tisch. Dort angekommen, entschuldigte sie sich für einen Augenblick und ging wieder an die Säule, an dem Mann vorbei zu einem der Ausgänge. Langsam und unauffällig folgte ihr der Mann und traf Ronnie draußen vor der Garderobe.

»Was wollen Sie hier?« zischte sie ihn an. »Müssen Sie mich denn überall hin verfolgen, Mister Carlton?«

Ernest Carlton sah zu Boden. Er war ein wenig verlegen.

»Mister Paddleton ist wirklich tot«, stieß er dann plötzlich hervor. »Ich wollte es erst nicht glauben, als die Polizei bei mir war; ich dachte, es sei eine Falle, um mich darin zu fangen. Aber ich wollte ihn eben zu Hause besuchen. Seine Wohnung ist verschlossen und versiegelt.«

Ronnie Wals wurde blaß. Selbst die Schminke konnte das nicht verdecken. Ihre Lippen waren fast farblos. In ihren großen Augen stand eine Mischung von Schrecken, Angst und Entsetzen. »Mr. Paddleton . . .«, sagte sie stockend, »Mr. Paddleton . . . er ist tot?«

»Ja, er wurde ermordet . . . kaltblütig ermordet.«

Ronnie Wals wich zurück. Sie lehnte sich haltsuchend an die Wand.

»Das . . . ist nicht wahr!«

»Sie können ja die Polizei fragen, wenn Sie es nicht glauben – und wenn Sie den Mut haben, zur Polizei zu gehen«, meinte Carlton höhnisch.

»Was soll das heißen?«

»Zufällig sah ich kürzlich, wie Mr. Paddleton am Eingang des Central Park in einen Wagen stieg, an dessen Steuer Sie saßen. Am Tage danach starb Mr. Paddleton einen gewaltsamen, überraschenden Tod.«

»Sie wollen doch damit nicht etwa andeuten, daß ich . . . daß Mr. Paddleton von mir umgebracht wurde?« Mrs. Wals ging drohend auf Carlton zu, der etwas zurückwich.

»Ich sprach von einem Zufall, Mrs. Wals. Und man macht sich so seine Gedanken. Als ich Sie beide dort im Central Park entdeckte, erblickte ich in Mr. Paddleton bereits die endgültige Lösung unserer Geldprobleme . . .«

»Doch wohl mehr meiner Probleme. Sie nagen nicht gerade am Hungertuch, wie jeder weiß«, fauchte Ronnie. »Aber, was meinen Sie, hat Mr. Paddleton mit dieser – wie Sie es nennen – endgültigen Lösung zu tun?«

»Nun, er hatte ein nicht zu verachtendes Vermögen als Ingenieur«, erwiderte Carlton in seiner lässigen, arroganten Art. »Sie müssen verstehen, daß ich mir sowohl für Sie als auch für mich berechtigte Hoffnungen machte.«

Carlton lächelte hintergründig. »Ich dachte mir in diesem Moment, daß er nun ganz sicher der Herr sei, der Ihre Schulden bezahlen wird.« Carlton sah durch die großen Fenster auf Manhattan und die Freiheitsstatue hinunter.

»Mister Scoulder ist allerdings auch ein guter Fisch«, sagte er sinnend. »Soviel ich weiß, verdient er als Architekt große Summen! Er muß über ein ansehnliches Vermögen verfügen.«

Ronnie Wals wurde rot. »Lassen Sie Frank aus dem Spiel, Sie Erpresser«, zischte sie wütend. »Frank hat damit gar nichts zu tun.«

»Er ist wohl nur fürs Herz?« fragte Carlton unverschämt.

Ohne ein Wort zu entgegnen, drehte sich Ronnie herum und ließ den Wucherer stehen. Sie straffte sich, als sie die Glastüre aufstieß und wieder von den Klängen der Musik gefangengenommen wurde. Sofort verwandelte sie sich wieder in die schöne, sorglose Frau, der alle nachblickten. Lächelnd trat sie an den Tisch Frank Scoulders, nahm die Flasche und füllte sich übermütig ihr Sektglas voll.

»Wollen wir noch einmal tanzen?« ermunterte sie Frank. Sie spürte, daß es ihr jetzt unmöglich war, stillzusitzen. Sie würde zittern vor innerer Erregung. Nur Bewegung ... tanzen ... Trubel ... hektischer Taumel ... das fiel nicht auf, das glättet die Erregung in ihr ... das machte sie frei.

»Die ganze Nacht«, rief Frank. Er nahm ihren Arm und führte sie zurück zu dem spiegelnden Parkett. Und sie tanzten so lange, bis sie außer Atem waren und sie selig in seinen Armen hing.

Mürrisch verließ in diesem Moment Ernest Carlton den Fahrstuhl, der ihn auf die Erde zurückbrachte, und stieg in seinen alten Nash. Wütend ließ er den Motor an und fuhr durch die Nacht davon.

13

Auch in den New Yorker Morgenzeitungen erschien unter den Heiratsanzeigen unübersehbar das Bild des unbekannten Toten von Hoboken. Henry Corner saß an diesem Freitagvormittag wie eine Spinne in der Mitte des nun gespannten Netzes und wartete, vor sich aufgebaut drei Telefonapparate, auf den ersten Anruf. In einem Sessel, den Kopf auf die Lehne gestützt, schlief Stewart Bennols seinen langersehnten Schlaf. Chief Inspector Murrey war zur Berichterstattung bei dem Präsidenten der New Yorker Polizei und hatte diesen Canossa-Gang bereits mit der Gewißheit angetreten, dort eine »dicke Zigarre verpaßt« zu bekommen.

Auf Corners Schreibtisch verhielt sich zunächst alles still. Es war, als zeige die Anzeige mit dem Foto des unbekannten Toten keinerlei Wirkung. In den Anzeigenabteilungen waren die Zuschriften unter den jeweiligen Chiffren seit vier Tagen nicht mehr abgeholt worden.

Da, gegen zehn Uhr vormittags, läutete eines der Telefone. Corner nahm den Hörer ab, und selbst Bennols erwachte aus seinem totenähnlichen Schlaf und griff zur Mithöranlage.

Die Anzeigenabteilung der »New York Times« meldete sich.

»Soeben ging ein Gespräch bei uns ein«, sagte der Mann vom Anzeigenschalter mit hörbarer Erregung. »Wir haben das Gespräch auf Band aufgenommen. Sollen wir es abspielen, Sir?«

»Ja, natürlich.«

Corner beugte sich vor. »Wann kam der Anruf?«

»Vor ungefähr zehn Minuten! Einen kleinen Moment bitte – genau um 9.43 Uhr.«

»Danke. Und jetzt bitte die Bandaufnahme.«

Es knackte in der Leitung, dann hörte man ein leises Rauschen, und eine quäkende und eine klare Stimme unterhielten sich.

»Ist dort die ›New York Times‹?«

»Ja. Anzeigenabteilung.«

»Die wollte ich haben! Sagen Sie mal, ist der alte Cecil verrückt geworden?«

»Wer bitte, mein Herr?«

»Cecil Bert Martin! Wie kommt der alte Knabe dazu, in Ihrer Zeitung eine Heiratsanzeige mit einem Foto zu veröffentlichen? Wo er uns doch geschworen hat, nie mehr zu heiraten!«

Stewart Bennols hieb auf den Tisch und sah Corner

strahlend an. »Sie sind ein Genie, Inspector! Wir haben den Namen! Wir haben ihn!«

»Psst!« mahnte Corner mit einem Siegeslächeln.

Das Band lief weiter.

»Wir bedauern, Ihnen darüber nichts sagen zu können. Die Anzeige wurde ordnungsgemäß aufgegeben und bezahlt! Mehr geht uns nichts an. Da müssen Sie den Herrn schon selbst fragen.«

»In allen Zeitungen steht seine Anzeige! In den Abendausgaben und in den Morgenblättern! Zum Wiehern ist das! Zum Luftablassen! Was wird der Klub dazu sagen!«

»Welcher Klub, Sir?«

»Die Sieben Strohhüte! Aber die kennen Sie ja doch nicht. Wäre nebenbei übrigens eine Sache für einen Ihrer Reporter! Die Sieben bringen zusammen dreißig Millionen Dollar auf die Beine! Aber sagen Sie mal, war der gute Cecil ganz klar, als er die Anzeige aufgab?«

»Ich habe die Anzeige nicht entgegengenommen ... Mister ...?«

»Bolton!«

»Mr. Bolton.«

»Na, dann danke ich Ihnen sehr. Ich werde mir Cecil einmal persönlich kaufen.«

»Wie Sie meinen, Sir.«

Es knackte. Das Band wurde abgeschaltet. Die Stimme des Anzeigenleiters ertönte wieder. »Sagt Ihnen das etwas, Sir?«

»Das haben Sie wundervoll gemacht!« rief Corner. »Sie haben endlich Licht in das Dunkel gebracht! Wenn uns das weiterhilft, werden Sie ein Dankschreiben des Polizeipräsidiums erhalten. Dafür sorge ich!«

Er legte den Hörer auf und sah Bennols befreit aufatmend an. Stewarts Gesicht glänzte wie die Morgensonne, die zum Fenster hereinschien.

»Das ist zumindest schon einmal ein kleiner Erfolg«, sagte er. »Wir haben den Namen des ersten Toten. Cecil Bert Martin! Und es gibt einen Klub der Sieben Strohhüte mit dreißig Millionen in der Rückhand! Mensch, ich glaube, wir haben da eine Spur, die wertvoller ist als hundert Millionen Dollar!«

Corner nickte. Er wurde plötzlich ernst. »Eine Spur, die zum elektrischen Stuhl führt. Wir brauchen jetzt nur noch die Brücke, die Martin mit Paddleton und Bertolli verbindet; und diese Brücke ist das Institut ›Die Ehe‹!«

Bennols sah auf seine Hände. Sie zitterten. Ihn hatte die Erregung gepackt, das Jagdfieber. Denn jetzt konnte die Jagd nach dem Mörder wirklich beginnen.

14

Am selben Vormittag noch setzten sich Corner und Bennols mit dem Klub der Sieben Strohhüte, dessen Sitz leicht zu ermitteln war, in Verbindung und vereinbarten für den Nachmittag eine Unterredung. Die Herren dieses denkwürdigen Klubs residierten in einem großen, schloßähnlichen Haus in Stamford, das von einem weiten, gepflegten

Park umgeben war. Als Corner und Bennols durch das prächtige, schmiedeeiserne Eingangstor traten, konnte sich Bennols nicht zurückhalten. Er stellte lässig fest: »Inspector, hier stinkt es nach Geld.«

In der Tat hatte sich dieser millionenschwere Klub hier ein kleines Paradies geschaffen. Der Park ließ an Klein-Versailles denken. Vier Gärtner hatten Mühe, dieses Anwesen mit seinen Rosengärten, den großen Blumenbeeten, den Schwanenteichen und dem Teepavillon in Ordnung zu halten. Sogar ein kleiner Wildpark war vorhanden, hinter dessen hoher Umzäunung zwei ausgewachsene Braunbären und drei Jaguare lebten und von einem eigens dafür angestellten Tierwächter verpflegt wurden. Für das leibliche Wohl der Hausherren sorgten nicht weniger als zwei Köche; mehrere Kellner, Pagen und Diener hatten genau abgesteckte Pflichten. Warum sich diese sieben Junggesellen solch eine Stätte des Glücks geschaffen hatten, war logisch nicht ganz erklärbar, denn ihre einzelnen Vermögen hätten es ihnen erlaubt, an jeden Ort der Welt zu fahren, wo sie ein noch ausgeklügelterer Luxus erwarten würde, als hier in der zwar herrlichen, aber abgelegenen Schloßeinsamkeit nordöstlich von New York. Aber der Zusammenschluß von sieben Sonderlingen, die sich verpflichtet hatten, im Sommer nur Strohhüte zu tragen, konnte nur Ungereimtheiten erwarten lassen. Deshalb ließ sich Corner auch nicht weiter von solchen Gedanken aufhalten, sondern bat den livrierten Diener, ihn und Bennols bei den millionenschweren Klubmitgliedern zu melden.

Diese saßen in der Bibliothek um einen großen, runden Tisch herum. Sechs Herren zwischen fünfzig und siebzig

Jahren und äußerst rüstig, elegant, durchaus nicht verknöchert oder wunderlich. Sie erhoben sich wie auf ein leises Kommando und sahen den beiden Kriminalbeamten ein wenig verschlossen und forschend entgegen.

»Sie wollten uns sprechen?« fragte einer der Herren, und Corner meinte, in ihm die Stimme von Mr. Bolton wiederzuerkennen, der am Telefon gesprochen hatte.

»Leider konnten wir nicht alle erscheinen. Unser Freund Martin fehlt.« Bolton versuchte die Andeutung eines Lächelns.

»Er geht auf Freiersfüßen und hat wohl keine Zeit. Unbekannt verreist, sagte mir sein Diener.«

Bennols sah an die Decke. Doch Corner hielt es für angebracht, gleich mit der Tür ins Haus zu fallen.

»Mister Martin ist nicht verreist«, sagte er langsam und so betont, daß sie ihn alle verstehen mußten. »Ich komme seinetwegen.«

Bolton zog den Kopf etwas ein. »Wegen Cecil? Was soll das heißen? Cecil ist ein Ehrenmann!«

»Daran zweifle ich nicht! Er machte nur eine Dummheit – er wollte heiraten!«

Die sechs Herren lächelten. Dieser Corner war ein netter Junge, er sprach ihnen aus der Seele.

»Jeder strauchelt einmal«, sagte Bolton weise. »Vielleicht findet er noch einmal den Weg zurück.«

»Er ist ihn schon zu weit gegangen. Es war ein Weg ohne Wiederkehr.« Corner stockte und sah die sechs Millionäre an.

»Ich habe Ihnen eine sehr tragische Mitteilung zu machen: Ihr Freund Cecil Bert Martin wurde am Abend des

24. Mai im Hafengelände von Hoboken ermordet aufgefunden.«

Die Wirkung dieser Worte war verblüffend. Während die anderen Herren nur zusammenzuckten und zu Boden sahen, sank Bolton auf seinen Sessel zurück und starrte Corner ungläubig an.

»Ermordet?« stammelte er. »Cecil?«

»Und zwar ermordet aufgrund eines Heiratsinserates!«

»Aber das ist doch Irrsinn!« widersprach einer der Herren. »Gestern morgen erst war die Anzeige in der Zeitung zu lesen. Und am 24. soll Cecil schon ermordet worden sein?! Ein Toter kann doch keine Anzeige aufgeben.«

»Das Bild in der Zeitung ist von uns aufgegeben worden, Sir.«

Corner trat näher und legte ein Aktenstück auf den runden Tisch. »Es ist das Bild eines Toten. Die geöffneten Augen wurden hineinretuschiert. Wir wußten nicht, wer der Tote war, da alle Papiere fehlten. Mit Hilfe des Bildes hofften wir auf Hinweise seitens seiner Bekannten oder Verwandten; und es meldeten Sie sich, Mr. Bolton!«

Die sechs Millionäre sahen entsetzt auf ihren Sprecher. Aber sie schwiegen. Bolton nutzte das aus, um von seiner Person abzulenken.

»Wie starb unser Freund?« fragte er unvermittelt.

»An einem Herzschlag. Es war eine sehr raffinierte, ganz moderne medizinische Art: Er wurde durch eine übersteigerte Schocktherapie getötet!«

Bolton faltete die Hände. »Armer Cecil«, sagte er. »Und er war stets so ein gütiger Mensch! Sie ahnen, wer der

Mörder ist?«

»Wir kennen ihn – und das ist der Haken an der Sache – nur unter seinem Decknamen. Wer sich dahinter verbirgt, ist uns noch unbekannt. Wir hoffen, von Ihnen etwas erfahren zu können.«

Wie auf ein Kommando zuckten die sechs Millionäre mit den Schultern.

»Cecil hatte keine Feinde! Er war ein beliebter Wohltäter! Alle hatten ihn gern. Er hatte auch keine Neider.«

»Verwandte?«

»Nicht daß wir wüßten. Seine letzte Schwester starb 1950 in Europa. Von diesem Tag an vermachte er sein Vermögen dem Klub!«

»Ach!« Henry Corner horchte auf. Dem Klub, dachte er. Der Klub erbt die Millionen Martins! Nur ein Klub von sieben Millionären hat keinen Grund, wegen dieser lächerlichen Erbschaft einen der ihren umzubringen! Corner nahm sich insgeheim trotzdem vor, die Verhältnisse jedes einzelnen dieser sechs Herren genau zu durchleuchten. Vielleicht gab es doch irgendwo einen Anhaltspunkt, der den Auslöser für die Aufklärung dieser Verbrechen liefern konnte.

»Unsere Satzungen lauten, daß jeder sein Vermögen oder den überwiegenden Teil seines Vermögens dem Klub vermacht. Der letzte von uns wird dann bei seinem Tode als Verwalter des Gesamtvermögens die gesamte vorhandene Summe der amerikanischen Krebsforschung übertragen lassen.«

»Das ist sehr nobel von Ihnen.«

Corner setzte sich auf den freien Stuhl, der eigentlich

dem toten Mr. Martin zustand. Stewart Bennols lehnte sich – von den Herren mißbilligend betrachtet – an die getäfelte Wand der Bibliothek.

»Wie gesagt«, fuhr Corner fort, »wir verfolgen eine ziemlich fragwürdige Spur.«

Bolton nickte. »Wir wollen Ihnen helfen und setzen deshalb für die Ergreifung des Täters 50 000 Dollar aus! Das sind wir dem guten, alten Cecil schuldig.«

Die anderen fünf sahen Corner an, als sei die Unterredung damit beendet. Aber Corner dachte gar nicht daran, sich schon so schnell aus der kühlen und steifen Atmosphäre des Klubs zu verabschieden. Er sah sich eingehend um und musterte die sechs Herren auf ihren Stühlen. Eingebildete blasierte Kerle, dachte Corner. Dabei wette ich, daß von diesen sechs stolzen Ehrenmännern nicht einer eine vollkommen weiße Weste hat. Alle hätten es nötig, sich der Polizei gegenüber etwas weniger reserviert zu verhalten.

»Sie wissen sonst nichts, meine Herren?« sagte er nach einer Weile. Bolton schüttelte den Kopf. »Nein! Ich dachte, daß die Heiratsanzeige mit Cecils Bild . . .« Er stockte und fuhr dann fort: »Aber die Polizei hat das Ganze ja veranlaßt! Es erstaunt uns nur, daß Cecil wirklich heiraten wollte!«

»Ja, er schrieb auf ein Inserat, das am 19. Mai in zwei maßgebenden Zeitungen New Yorks stand. Die Annonce wurde telefonisch bestellt und im vorhinein durch Postanweisung bezahlt. Wir wissen nicht, wann Mr. Martin eine Nachricht des Heiratsinstitutes bekam. Eines ist aber sicher: Er muß am Sonntag, dem 23. Mai, eine Verabredung mit einer angeblich heiratswilligen Dame gehabt haben. Jedenfalls wurde er am darauffolgenden Montag ermordet und am Abend des gleichen Tages von einem Polizisten in Hoboken aufgefunden.«

»Ermordet? Gar von dieser ... dieser ... Dame?« fragte Bolton stockend.

»Das wissen wir eben nicht!« Corner zog es vor, in diesem Falle ehrlich zu sein. Vielleicht konnten diese sechs vornehmen und zurückhaltenden Männer einen Hinweis liefern, der ihn in den Ermittlungen weiterbrachte.

»Mister Martin hat nie mit Ihnen über seine Heiratspläne gesprochen?«

»Nie! Die Sache an sich verstieß ja schon gegen unsere Satzungen.«

»So? Er wollte also in aller Heimlichkeit aus Ihrem Klub austreten?«

»Ja. Und der Erfolg, den er damit hatte, erschüttert uns doppelt.«

Bolton schüttelte den Kopf und sah auf den schweren chinesischen Teppich. »Er war ein guter Freund, Sir.«

Henry Corner hatte das merkwürdige Gefühl, als sei die Trauer dieser sechs millionenschweren Herren nicht ganz echt, sondern ein teuflisches Spiel unter einer unbeweglichen Maske. Ging es vielleicht doch um die Millionen Dollar, die bei einer Verheiratung für den Klub verloren waren? Hatten diese sechs Millionäre doch ihre Hände im Spiel? Es dürfte Ihnen nicht schwerfallen, ein einwandfreies Alibi für die betreffenden Tage zu liefern. Sie konnten vorgeben – wie immer – im Klub gewesen zu sein; und jeder einzelne würde das für den anderen bezeugen. Corner sah ein, daß es äußerst schwierig sein würde, diese schweigende Mauer, der er gegenüberstand, zu durchbrechen. Auch Bennols schien das zu spüren. Noch immer lässig an die Holzwand gelehnt, seufzte er laut auf. Sehr zum Mißfallen der Herren, die zu ihm hinüber schielten.

»Mit was handelte der gute Martin eigentlich?« fragte Bennols dann plötzlich.

Es war, als habe man Bolton geohrfeigt. Er fuhr herum und zischte Bennols an. »Für Sie ist unser Freund immer noch Mister Martin! Mr. Martin handelte mit Häuten, Fellen und Parfümerie-Artikeln.«

»Ein weites Gebiet!« Stewart verließ seinen bequemen Standort und trat in die Mitte des Raumes.

»Sie, Mr. Bolton, handeln mit Chemikalien, stimmt's?«

»Ja.«

»Ist einer der Herren Mediziner?«

»Ja.«

»Hm. Und zwei von Ihnen sind ebenfalls Händler. Ich habe mich erkundigt, bevor ich zu Ihnen kam. Der eine für Laborinstrumente und der andere für Arzneien. Sie ergänzen sich alle wunderbar, meine Herren! Wenn man bedenkt, daß Mr. Shuster«, er blickte einen der sechs Millionäre an – »in Colorado einige gute Minen besitzt und nicht zu verachtende Aktienpakete von den Firmen verwaltet, die Sie, meine Herren, vertreten, dann ist das Ganze wundervoll durchorganisiert. Einer ist auf den anderen angewiesen.«

Er wandte sich plötzlich an den Arzt in dieser Runde, der Leiter und Besitzer eines großen Sanatoriums an der

Küste Floridas war.

»Wußten Sie übrigens von der Herzkrankheit Mr. Martins, Sir?«

»Ja. Natürlich.«

Der Arzt verschränkte die Arme auf der Brust. »Ich habe meinen Freund Cecil doch des öfteren behandelt.«

»Und zwar nach dem Speranskyschen System und mit Hilfe der Psychosomatik.«

»Ja! Seine Herzkrankheit war vorwiegend nervöser Natur, und durch diese Methode der modernen Medizin hatte er eine reelle Chance, durch Reizimpulse im vegetativen Nervensystem geheilt zu werden!«

Bennols lächelte schwach. »Der Mörder bewies aber das Gegenteil! Er heilte Ihren Freund Cecil nicht, sondern tötete ihn durch einen Zweitstoß ins Nervensystem!«

»Das ist zu phantastisch, um es glauben zu können«, murmelte der Arzt erschüttert. Er sah hilflos zu seinen Freunden hinüber, die mit weit aufgerissenen Augen auf Bennols starrten.

Henry Corner erhob sich. »Der Mörder muß also«, Corners Stimme war hart und bewirkte, daß die Blicke wieder zu ihm gerichtet wurden, »von dieser Therapie gewußt haben! Er muß davon unterrichtet gewesen sein, daß Mr. Martin bei seinem ärztlichen Freund diese ungewöhnliche Behandlung begonnen hatte, die mit äußerster Vorsicht angewandt werden muß, da sie tief in das gesamte Wesen des Menschen eingreift und zum Teil noch unerforscht ist! Wer hatte Ahnung davon, meine Herren?«

»Von uns keiner, Sir!« Bolton hob bedauernd beide Hände. »Daß Cecil bei unserem Freund in Behandlung war, wußten wir natürlich. Nur von der Wirkung und der Gefährlichkeit dieser Behandlung erfahren wir heute zum erstenmal! Es wurde nie darüber gesprochen. Krankheiten gehören zu den Themen, über die in unserer Gesellschaft nicht gerne gesprochen wird. Wir hängen am Leben und hassen alles, was uns am Leben hemmen könnte!«

Henry Corner gab sich Mühe, die Phrasen zu überhören und schüttelte den Kopf. »Das hilft uns nicht viel weiter, meine Herren. Mr. Martin muß aber mit anderen Personen über seine neue Herztherapie gesprochen haben. Könnten Sie uns wenigstens Auskünfte über den näheren Bekanntenkreis Mr. Martins geben? Sie helfen dadurch unter Umständen den Mörder Ihres Freundes zu finden.«

Als Corner und Bennols nach zwei Stunden den exklusiven Klub verließen, hatten sie etwa zwanzig Adressen von Bekannten, mit denen Mister Martin des öfteren zusammengekommen war. Einer der Namen entlockte Corner einen leisen Pfiff. Es war der Name: Mario Bertolli.

Und Bertolli war das dritte Opfer gewesen, das aufgrund dieser furchtbaren Heiratsanzeige ermordet worden war.

15

Als Corner und Bennols in das Präsidium zurückkamen, wurden sie von einem schon ungeduldig wartenden Pesk empfangen.

»Sie hatten recht, Inspector Corner«, stieß er hervor. »Auch Bertolli ist ein Opfer des Instituts ›Die Ehe‹. Wird wahrscheinlich Zeit, daß wir herausfinden, wer hinter diesem tödlichen Unternehmen steckt, sonst sterben langsam die heiratswilligen Männer aus. Die Geburtenrate geht sowieso schon zurück.«

»Sorgen Sie sich jetzt nicht um den Fortbestand der Vereinigten Staaten. Sagen Sie mir lieber, was Sie wirklich gefunden haben«, stoppte Corner die kühnen Spekulationen des Captains.

»Nun, Bertolli hat die Anzeige fein säuberlich ausgeschnitten und auf ein DIN-A-4-Blatt geklebt. Ein Vermerk, in welcher Zeitung sie erschienen war, fehlte. Aber wir haben inzwischen festgestellt, daß es sich um die inzwischen schon bekannte Ausgabe der ›New York Times‹ vom 19. Mai handelte. Und auf diesem Blatt hatte Bertolli notiert: ›Donnerstag, 17 Uhr, Columbus Circle‹.«

»Das ist am Eingang zum Central Park«, warf Bennols ein.

»Sieh an, unser kluger Nachwuchs«, lachte Corner. »Dort haben Sie wohl früher Ihre Rendezvous absolviert?«

Bennols zog es vor, nicht zu antworten.

»Dann ist Bertolli wohl auch am Donnerstag ermordet

worden?« fragte Corner lauernd.

»Keineswegs«, antwortete Pesk. »Als Todestermin wurde einwandfrei die Zeit zwischen zwei und drei Uhr gestern nachmittag ermittelt.«

»Jetzt fehlt nur noch, daß Sie mir sagen, am Freitagmorgen sei vom Konto Bertollis ein hoher Betrag abgehoben worden.«

»Fast haben Sie ins Schwarze getroffen, Inspector«, äußerte Pesk anerkennend. »Nur, es wurden zwei Schecks eingelöst. Einer bei der First National City Bank mit 22 000 Dollar und einer beim Manufacturers Trust mit 12 000 Dollar. Auf beiden Konten verbleiben nur noch etwa je 2000 Dollar.«

»Donnerwetter, da hat sich aber dieser Gemüsehändler als ganz guter Fischzug entpuppt«, gab Bennols von sich.

»Ich glaube, Inspector, wir verdienen unser Geld beim falschen Verein.«

Aber Corner war jetzt nicht für solche Scherze zu haben. Tief in seinem Stuhl zusammengesunken, spann er den Faden weiter.

»Das heißt, daß sich meine Theorie als richtig herausgestellt hat. Wenn sich ein kapitalkräftiger Interessent auf die Heiratsanzeige meldet, erhält er einen Anruf, der ihn zu einem Rendezvous bestellt. Was dann geschieht, können wir zunächst nur vermuten. Aber ich würde wetten, daß man die Opfer mit Drogen willenlos macht, so daß sie den Stand ihres Bankkontos verraten und auch die Schecks nach den Wünschen des Gangsters ausschreiben. Dann werden die Schecks eingelöst, wobei der Verbrecher stets so klug ist, die Konten nie völlig zu plündern. Diese Taktik läßt auch die Bank weniger mißtrauisch werden. Und wenn das Geld in den Händen des Verbrechers ist – meinetwegen soll es auch eine Bande sein –, dann wird das Opfer kaltblütig umgelegt und uns präsentiert.«

»Was Sie sicher noch interessiert, Sir«, unterbrach Pesk die Kombinationen des Inspectors. »Bei der First National City Bank wurde der Scheck von einem bärtigen Mann, so etwa um die fünfzig, vorgelegt. Beim Manufacturers Trust holte sich eine ältere Dame die Summe.«

»Also doch eine Bande – oder zumindest zwei Verbrecher, die gemeinsam arbeiten. Hätte mich ja auch gewundert, wenn solch eine grausame Idee dem Gehirn eines einzigen Menschen entsprungen wäre.«

»Wieder muß ich Sie korrigieren«, Captain Pesk bemühte sich, seine Einwände mit der größten Behutsamkeit anzubringen, denn er bemerkte, daß die Anspannung der letzten Tage im Nervenkostüm Corners Spuren hinterlassen hatte.

»Es müssen mindestens drei Täter sein, wobei sich diesmal das weibliche Element besonders hervortut. Denn die ältere Dame, die Paddletons Scheck bei der Chase Manhattan Bank einlöste, scheint unmöglich die ältere Dame sein zu können, die beim Manufacturers Trust auftauchte. Die Personenbeschreibungen gehen zu weit auseinander. Allein die Haarfarbe . . .«

»Schon mal was gehört, daß es Perücken gibt?« unterbrach Corner ungeduldig.

»Werde wohl selbst bald eine brauchen«, lachte Captain Pesk gutmütig und zeigte auf seine hohe Stirn. »Aber auch andere Merkmale sind so verschieden – Stimmlage, Verhalten, Bewegungen. Die Frau müßte früher einmal eine perfekte Schauspielerin gewesen sein, um in zwei so verschiedenen Rollen dermaßen gekonnt agieren zu können.«

»Lassen wir das jetzt«, winkte Corner ab.

»Jedenfalls sind die Täter äußerst vorsichtig. Sie bemühen sich sehr, uns die Arbeit schwerzumachen, und soweit ich sehe, ist ihnen auch noch kein Schnitzer unterlaufen.«

Bennols schaltete sich wieder ein.

»Darf ich Sie an Ihre eigenen Worte erinnern, Inspector? Sie sagten: ›Es gibt keinen perfekten Mord.‹ Und wenn der Mörder seine Tat noch so raffiniert planen würde, beginge er eines Tages einen Fehler, der ihm den Hals bräche. Wir müßten nur die Geduld aufbringen, diesen Tag erwarten zu können. Ich weiß noch genau, was Sie sprachen, Inspector. Am besten wäre es, wir könnten uns jetzt hinlegen und bis zu diesem Ereignis schlafen.«

»Die Opfer, die es bis dahin noch geben wird, werden Ihre Pflichtauffassung zu schätzen wissen«, meinte Corner sarkastisch. »Wie wäre es denn, Lieutenant, wenn Sie sich mal um eine gründliche Durchsuchung des Hauses von Martin kümmern würden? Könnte ja sein, daß es in diesem Junggesellenheim auch ein Bett gibt . . .«

»Habe schon verstanden, Chef.«

Bennols stand auf und reckte sich gähnend. »Ich gehe jetzt wohl nicht fehl in der Annahme, daß Sie mehr an dem Arbeitszimmer als an dem Schlafraum Martins interessiert sind. Und vor allem werden Sie wissen wollen, wo er sein Bankkonto hat.«

»Na also, Bennols«, ermunterte ihn Corner. »Aus Ihnen

scheint doch noch etwas zu werden. Wenn Sie nur einmal Ihr übertriebenes Schlafbedürfnis unterdrücken könnten . . . Aber wie das mit dem Bankkonto ausgeht, kann ich Ihnen jetzt schon sagen. Ich wette, daß am Montagvormittag das Konto Martins geplündert wurde. Würfeln können wir, ob es ein älterer Herr oder eine ältere Dame getan hat . . .«

»Vielleicht war es zur Abwechslung auch mal eine jüngere, hübsche Dame. Ihretwegen auf ein paar Stunden Schlaf zu verzichten, würde wenigstens noch einen Sinn ergeben.«

»Lassen Sie Ihre pubertären Späße, Bennols«, rief Corner dem Lieutenant noch zu, bevor dieser die Tür hinter sich schließen konnte.

»Ich glaube, Pesk«, wandte er sich dann an den Captain, »daß Bennols über das Wochenende ausschlafen kann. Und wir beide werden wohl auch zur Ruhe kommen. Jedenfalls würde ich mich wundern, wenn uns vor Montag ein neues Opfer durch das Institut ›Die Ehe‹ präsentiert werden würde.«

»Was macht Sie so sicher?«

»Die Methode, mit der gemordet wird. Überlegen Sie: Alle Opfer starben erst, nachdem ihre Schecks eingelöst worden waren. Heute ist Samstag. Und nicht einmal in New York finden Sie eine Bank, die Ihnen am Samstag oder Sonntag einen Scheck einlöst. Deshalb bin ich überzeugt, daß wir erst am Montag wieder vom Institut ›Die Ehe‹ hören werden. Wobei ich hoffe, daß die Mordserie zu Ende ist.«

»Das wird wohl ein frommer Wunsch bleiben«, meinte

Pesk. »Wenn Sie mich nicht mehr brauchen, gehe ich jetzt auch.«

Corner nickte sein Einverständnis, und Pesk verschwand schnell aus dem Zimmer. Noch einige Zeit saß Corner nachdenklich an seinem Schreibtisch. Je mehr er den Fall analysierte, desto intensiver ergriff eine Idee von ihm Besitz, die sicher ungewöhnlich war . . .

Aber er mußte versuchen, dem Mörder eine Falle zu stellen.

16

Corner hatte recht. Über das Wochenende blieb es ruhig. Auch andere Morde wurden nicht entdeckt, so daß die Beamten wirklich einmal etwas Atem schöpfen konnten.

Ausgeruht kehrten sie am Montag, dem 31. Mai, in ihr Büro zurück. Und selbst Bennols freute sich darauf, die Ermittlungsarbeiten fortsetzen zu können.

Sein erster Weg führte ihn in die Wallstreet, zum Bankhaus Bache & Co. Dort wurde, das hatte die Hausdurchsuchung in Richmondtown ergeben, das Konto Cecil B. Martins geführt.

Als Bennols dem Bankdirektor gegenübersaß und seine Wünsche vorbrachte, wiegte dieser nachdenklich den Kopf.

»Jetzt klärt sich endlich dieser mysteriöse Vorgang auf.

Allerdings auf traurige Weise.«

»Was meinen Sie damit?«

»Ich will es Ihnen ausführlich schildern. Also. Am –
warten Sie . . . es war heute vor einer Woche, fast um die
gleiche Zeit, als mir ein Angestellter meldete, daß unten ein
von Mr. Martin ausgestellter Barscheck über 32 000 Dollar
zur Einlösung vorgelegt worden sei. Das bedeutete, daß
auf dem Konto von Mr. Martin nur noch rund 3000 Dollar
verblieben wären. Nun waren zwar mit Mr. Martin keine
langen Kündigungsfristen vereinbart, aber Mr. Gray, so
heißt der Angestellte, der mich verständigt hatte, fand den
Vorgang doch etwas ungewöhnlich. Und da er wußte, daß
ich Mr. Martin als einen wichtigen Kunden unserer Bank
persönlich kannte, rief er mich an.«

»Und was taten Sie?«

»Ich begab mich selbst in die Schalterhalle, um mit dem
Mann zu sprechen, der die Summe ausbezahlt haben
wollte . . .«

»Es war . . . ein Mann?« hakte Bennols nach.

»Ja, ein Mann, so etwa um die vierzig. Gut aussehend,
soweit man das erkennen konnte. Sie müssen wissen, daß
es an diesem Tag stark geregnet hat.«

»Das ist mir bekannt«, sagte Bennols und dachte an Mister Martin, der bei strömendem Regen in Hoboken entdeckt worden war – mit sauberen Schuhen.

»Deshalb trug der Mann einen blauen Trenchcoat. Der
Kragen war hochgeschlagen und verdeckte die untere
Hälfte des Gesichtes. Die Augen waren hinter einer dunklen Brille verborgen, und die obere Kopfpartie konnte man
nicht erkennen, weil der Mann einen Hut trug, den er tief

in die Stirn gezogen hatte. Außerdem behielt er seine Handschuhe an. Das alles fand ich ziemlich befremdend.«

»Und trotzdem wurde der Scheck ausgezahlt?«

»Was sollten wir tun? Mr. Martin persönlich wünschte das.«

»Wie bitte?« Bennols fuhr elektrisiert hoch. »War Mr. Martin dabei?«

»Nein, natürlich nicht, sonst hätte er ja gar nicht erst den Scheck auszustellen brauchen. Aber ich weigerte mich zunächst, den Scheck einzulösen. Der Mann wurde dann sehr bestimmt und erklärte, er sei ein Makler aus Florida und habe Mr. Martin am Vortage günstig ein Grundstück direkt am Golf von Mexiko verkauft. Nun wolle er sein Geld. Als ich erwiderte, ich müßte mich erst mal bei Mr. Martin erkundigen, ob das in Ordnung gehe, sagte er, das könne ich haben. Er wüßte zufällig, wo sich Mr. Martin im Moment aufhalte. Ich führte ihn dann zu einem Telefon, denn er bestand darauf, die Nummer selbst zu wählen.«

»Haben Sie die Zahlenkombination verfolgen können?«

»Leider nein. Der Mann stellte sich zwischen mich und das Telefon, als er wählte. Ich bin aber fast sicher, daß es keine New Yorker Nummer war. Dafür wählte er zu lange. Außerdem habe ich bemerkt, daß Mr. Martin nicht sofort selbst am Telefon war. Er wurde auf Wunsch des Mannes geholt.«

»Und Sie haben persönlich mit Mr. Martin gesprochen? Da ist keine Täuschung möglich?«

»Oh, nein, Sie müssen wissen, daß Mr. Martin etwas li-

spelte. Ich habe seine Stimme und seinen Tonfall einwandfrei erkannt, als er mir bestätigte, daß der Scheck in Ordnung ginge. Allerdings fiel mir schon damals auf, daß Mr.
Martins Stimme sehr müde wirkte, so wie . . . lassen Sie
mich nachdenken . . . so, als ob er aus dem Schlaf gerissen
worden sei.«

»Also doch Drogen«, sagte Bennols mehr zu sich selbst
und fuhr dann mit erhabener Stimme fort: »Ich muß Sie
leider bitten, diese Aussage auch zu Protokoll zu geben.
Einige Beamte werden in Kürze hier erscheinen, um auch
alle Angestellten zu vernehmen, die mit diesem Mann zu
tun hatten und die ihn identifizieren könnten. Jedes Detail
ist für uns wichtig.«

»Sie können davon ausgehen, daß ich die Arbeit der Polizei in jeder Weise unterstützen werde«, sagte der Bankdirektor in seiner korrekten Art und geleitete Bennols zur
Tür.

17

Von Corner wurde Bennols schon ungeduldig im Präsidium erwartet.

Der Lieutenant, der seinen Bericht abgeschlossen hatte,
fügte bewundernd hinzu: »Sie hatten recht, Inspector. Alles spielt sich so ab, wie Sie es vermuteten.«

»Nur, daß die Burschen die Kaltblütigkeit haben, ihr

Opfer, wenn notwendig, selbst die Richtigkeit des Schecks bestätigen zu lassen, hatte ich nicht geglaubt. Es zeigt sich immer mehr, daß wir es mit hochintelligenten Tätern zu tun haben, die sich leider keine Blößen geben.«

»Abwarten, Chef«, besänftigte Bennols. »Wenn es wirklich vier Täter sein sollten, wird die Wahrscheinlichkeit größer, daß einer davon mal nicht aufpaßt. Und dann ist unsere Stunde gekommen.«

»Jedenfalls scheint sich wenigstens der Wirkungskreis des todbringenden Eheinstitutes nur auf New York City zu beschränken. Denn das FBI hat Murrey vor einer Stunde mitgeteilt, daß die Anzeigen ausschließlich in den beiden uns bereits bekannten Zeitungen ›New York Times‹ und ›Daily News‹ erschienen sind, und zwar lediglich in Ausgaben vom 19. Mai.«

»Das berühmte Glück im Unglück«, versuchte Bennols zu scherzen, wurde aber gleich wieder ernst. »Dann müßten wir eine Spur aufnehmen können, wenn das ominöse Institut eines Tages die bei den Anzeigenabteilungen noch lagernden Chiffresendungen abholen läßt. Ich habe nach unserem zweiten Besuch in Paddletons Wohnung sofort veranlaßt, daß die zwei Chiffrefächer von zuverlässigen Beamten bewacht werden.«

Und in der Tat: Als Fensterputzer und Telefontechniker, als Hausboten und Elektriker getarnt, warteten in diesen Tagen die abgeordneten Polizisten in den großen Schalterhallen der beiden Anzeigenabteilungen stets darauf, unauffällig den Mann oder die Frau verfolgen zu können, welcher oder welche die Sendungen für Chiffre B 10/54 abholen wollte.

Während dieser Zeit durchleuchtete man in gewissenhafter Kleinarbeit auch die Verbindungen, die zwischen Bertolli und Martin bestanden hatten. Es stellte sich heraus, daß sie ausschließlich geschäftlicher Natur gewesen waren. Bertolli besaß neben seinem Früchtehandel auch eine Anzahl von Drugstores entlang der Überlandrouten, in denen er neben den üblichen Waren auch Parfümeriewaren und Ledersachen verkaufte, die er aus dem Martin gehörenden Großhandelsunternehmen bezog. Ansonsten kannten sich die beiden Männer nur durch eine flüchtige geschäftliche Unterredung, die Bertolli angeregt hatte, anscheinend, um bei dieser Gelegenheit einen günstigeren Rabatt herauszuhandeln. Das ging jedenfalls einwandfrei aus den Akten von Martins und Bertollis Firmen hervor.

So wich die Hektik, die in den ersten beiden Wochen des »Chiffrefalles« zu beobachten war, langsam einer Alltagsroutine, wie sie im Grunde auch der spektakulärste Mord mit sich bringt. Und Lieutenant Bennols konnte sich wieder mehr Schlaf gönnen.

Inspector Henry Corner fand endlich Zeit, die Idee, die ihm am Samstag gekommen war, in Ruhe durchzudenken. Je intensiver er sich damit beschäftigte, um so mehr ergriff diese Idee von ihm Besitz. Ja, er sah in ihrer Verwirklichung bald nur noch die einzige Chance, den Mörder doch noch zu entlarven.

Und so setzte sich Corner eines Tages hin und schrieb einen Brief . . .

Der Mörder schwieg; das Institut »Die Ehe« schien an weiteren Anschriften von vermögenden Opfern nicht mehr interessiert zu sein.

Am 4. Juni rief Chief Inspector Murrey Corner und Bennols zu sich. »Sie sind sich hoffentlich im klaren darüber, daß ich die Presse nicht mehr lange hinhalten kann. Drei unaufgeklärte Mordfälle; das ist eine etwas zu hohe Versagerquote. Jeden Tag rechne ich damit, daß so ein gerissener Polizeireporter Lunte riecht und unsere Blamage vor der Öffentlichkeit ausbreitet. Dann fangen wir den Mörder nie . . .«

»Chief . . .«, wollte Corner ansetzen, doch Murrey, der sich langsam in eine Erregung gesteigert hatte, ließ ihn nicht zu Wort kommen.

»Ersparen Sie mir Ihre Entschuldigungen . . . Ich weiß schon im voraus, was Sie sagen wollen. Ich will Ergebnisse, keine Erklärungen. Es muß Ihnen wohl erst ein neuer Mord serviert werden, bevor Sie wieder lebendig werden. In den letzten Tagen hat sich überhaupt nichts bewegt – vor allem nicht Ihre Beamten. Und dann diese detectives, die in den Anzeigenabteilungen herumfaulenzen. Eine Vergeudung von Steuergeldern ist das, aber keine Ermittlungsarbeit. Wie wäre es denn, wenn Sie Ihre kleinen, grauen Zellen mal wieder in Trab bringen würden, anstatt untätig herumzusitzen und darauf zu warten, daß der liebe Mörder in einer Schalterhalle erscheint und die Chiffrebriefe abholt . . . Sonst kann ich mir für die Zukunft gleich Kamerad Zufall engagieren . . .«

Als ein Klingeln des Telefons den Redeschwall des Chief Inspectors unterbrach und dieser zum Hörer griff, benutzten Corner und Bennols diese gute Gelegenheit, um sich schnell zu entfernen.

Im Zimmer Lieutenant Bennols ließen sie sich aufatmend nieder.

»Ich hoffe, dem Alten ist wieder wohler, nachdem er seinen Segen über uns ausgeschüttet hat. Er ist ja auch zum . . .«

»Sparen Sie sich Ihre Kraftausdrücke, Bennols«, mahnte Corner. »Lassen Sie uns lieber noch einmal überlegen, ob wir nicht doch einen winzigen Hinweis auf die Person des Mörders übersehen haben. Als erstes soll aber Anweisung gegeben werden, daß die Beamten in den Anzeigenabteilungen abzuziehen sind.«

»Wollen Sie nicht wenigstens die Briefe vorher öffnen und die Absender feststellen lassen? Wenn das unsere Spezialisten übernehmen, fällt die Manipulation hinterher nicht auf. Wir haben aber wenigstens die Gewißheit, daß wir den gefährdeten Personenkreis kennen, wenn die Briefe doch noch abgeholt werden sollten.«

»Okay, geben Sie die notwendigen Befehle – und vergessen Sie nicht, sich auch die erforderlichen richterlichen Genehmigungen einzuholen.«

Danach gingen Corner und Bennols noch einmal systematisch die Ereignisse in allen Details durch. Sie hofften auf einen einzigen neuen Anhaltspunkt.

Drei Tage später, gegen Mittag des 7. Juni, stürmte Bennols in Corners Zimmer. »Das hat nun der Alte von seinem Tick, keine Steuergelder zu verschwenden. Vorgestern ziehen wir unsere detectives zurück, und schon

spaziert der Mörder in aller Seelenruhe an die Anzeigenschalter und holt sich die Adressen seiner nächsten Opfer
ab . . .«

»Was?« schrie Corner. »Das darf doch wohl nicht wahr
sein! Und es hat ihn niemand aufgehalten?«

»Wer sollte es denn tun? Die Schalterbeamten etwa? Bin
schon froh, daß sie uns wenigstens eine gute Beschreibung
der Personen gegeben haben . . .«

»Wieso der Personen . . .?«

»Weil es zwei waren, ein Pärchen. Der Herr spazierte
zur ›New York Times‹, und die Dame stattete wohlerzo-
gen der ›Daily News‹ einen Besuch ab . . .«

»Und sind die beiden mit den uns bisher bekannten Be-
teiligten identisch?«

»Im Moment schwer zu sagen, Chef. Die Dame war älter. Nur hatte sie weiße Haare und trug eine Brille. Der
Mann könnte der gewesen sein, der bei Bache & Co. Martins Scheck einlöste. Ich habe jedoch veranlaßt, daß Phan-
tomzeichnungen angefertigt werden. Wenn wir die allen
Zeugen vorgelegt haben, werden wir wohl mehr wissen . . .«

»Und verständigen Sie jetzt die Heiratswilligen, deren
Anschriften wir registriert haben. Die werden einen ganz
schönen Schreck bekommen, wenn sie erfahren, daß sie
statt im Ehebett fast auf dem Totenbett gelandet wären.«

Corner fing an zu lächeln: »Einen allerdings brauchen
Sie nicht mehr zu verständigen: Mario di Cardone.«

»Woher wissen Sie denn, daß dieser Name wirklich auf
der Anschriftenliste steht? Sie haben diese doch nie gesehen.« Es schien, als beginne Bennols an Psi-Eigenschaften

Corners zu glauben.

Der Inspector kostete seinen Triumph aus. Betont langsam und akzentuiert erklärte er: »Weil dieser Mario di Cardone . . . ich bin.«

»Sie, Chef . . .?« Bennols Augen weiteten sich.

»Ja, ich. Ich habe als Mario di Cardone auf die Anzeige des Institutes ›Die Ehe‹ geschrieben und mich als italienischen Emigranten ausgegeben, der gern eine amerikanische Frau heiraten wolle. Mein flüssiges Vermögen habe ich mit 45 000 Dollar beziffert. Ich hoffe, daß dies den Mörder reizt und er mich anruft. Dann endlich haben wir seine Spur. Und Murrey kann seine Journalistenmeute füttern.«

»Was aber, wenn der Mörder im Telefonbuch nachschlägt und den Namen Mario di Cardone nicht findet?«

»Halten Sie mich für einen Anfänger, Stewart? Natürlich habe ich erwähnt, daß ich normalerweise in Jamaica lebe, aber jetzt für mehrere Wochen in New York sei, weil ich hier Börsengeschäfte zu tätigen hätte. Und weil ich nicht gerne in Hotels wohne, habe mir ein Freund sein Penthouse überlassen.«

»Trotzdem, Inspector . . .« Bennols zweifelte noch immer.

»Sie dürfen nicht immer so schwarz sehen«, sagte Corner fast ärgerlich und wandte sich ab. Aber so zuversichtlich er sich auch nach außen hin gab, innerlich machte er sich doch große Sorgen. Denn in Wirklichkeit glaubte er selbst nicht unbedingt daran, daß der Mörder in diese Falle laufen würde.

18

Wenige Stunden später trafen sich Ronnie Wals und Frank Scoulder auf Coney Island.

Wer Coney Island kennt, weiß, wie es Ölsardinen in der Büchse zumute sein muß. Es gibt wohl keinen vergleichbaren Ort der Erde, auf dem derart viele Menschen auf einem Quadratmeter zusammenstehen, wie in diesem größten Vergnügungspark der Welt. Zwischen Riesenrad und Kettenkarussell, zwischen Schießbuden und Schiffsschaukeln, zwischen Glücksrädern und Sensationsdarbietungen wie dem elektrischen Menschen, an dessen Nase eine Glühbirne aufleuchtet oder an dessen Haut man eine Zigarette anzünden kann, zwischen Unterwasserballetts in großen Glasbassins und selbstfahrenden Raketenautos, schieben, drängen, stoßen und boxen sich die schwitzenden Menschen, um teilzuhaben an den neuesten Wundern technischer Illusion.

Auch Ronnie und Frank schoben sich Schritt für Schritt durch die Menge und erreichten dann aufatmend eine der vielen Milchbars, in der sie sich nach kurzer Wartezeit zwei hohe Barhocker erobern konnten.

Hier war es kühl. Große Ventilatoren surrten unter der Decke. Hinter den blitzenden Hähnen der spiegelbelegten Bartheke standen die Mixer im weißen Dinerjackett.

»Was trinken wir, Darling?« rief Frank Scoulder lachend und warf seinen Strohhut auf die Theke. »Einen Ananasflip?«

»Ja, gerne. Aber eiskalt!« Ronnie Wals tupfte sich den

Schweiß von der Nase und warf einen prüfenden Blick in den kleinen Taschenspiegel. Sie holte ihren Lippenstift aus der Tasche, zog schnell die etwas verblaßten Lippen nach und lächelte dann Frank zu, der gerade zwei Flips bei einem der Mixer bestellt hatte.

»Gut so?« fragte sie.

»Du siehst immer entzückend aus, Ronnie!« Frank beugte sich zu ihr hinüber und umfaßte ihre schlanke Gestalt. »Ronnie, ein ernstes Wort: Wann heiraten wir endlich?«

»Du hast nie davon gesprochen, Frank.« Sie sah ihn erstaunt und ein wenig erschrocken an. »Warum willst du mich heiraten?«

»Du wirst es nicht glauben . . .« Er lachte laut. »Weil ich das komische Gefühl habe, daß ich dich liebe.«

Sie stocherte mit dem Strohhalm im hohen Glas herum, das ihr der Mixer hingestellt hatte, und in dem neben Eis und Ananasstückchen ein wenig Sahne auf der Milch schwamm.

»Wir wollen noch ein wenig warten«, sagte Ronnie leise.

»Aber warum denn?« Frank Scoulder sog an dem strohhalm und stieß mit ihm einige Eisstückchen zur Seite. »Was hindert uns, Ronnie? Ich verdiene gut . . .«

»Genug für uns?« unterbrach sie ihn.

»Wenn dir zehntausend Dollar im Jahr genug sind.«

»Oh, ja«, sagte sie schüchtern.

»Siehst du. Und auch du hast ja noch beträchtliches Vermögen. Ich denke da an dein Haus am Passaic River, das wir dann verkaufen werden.«

»Das wird nicht gehen.«

»Warum? Liegt dir soviel an dem dummen Nest Paterson? Wir werden uns irgendwo in New Jersey eine schöne kleine Villa bauen, umgeben von einem großen Garten. Du sollst nur für mich da sein, und ich nur für dich! Wir werden glücklich sein, Ronnie.«

Sie sah über den Rand ihres Glases hinweg und blickte teilnahmslos auf die draußen vor der Milchbar hin und her wogende Menschenmenge. Glücklich, dachte sie. Was ist Glück? Und das Haus in Paterson verkaufen? Diese weiße Villa mit dem Ackerland? Was wird Carlton dazu sagen? Überhaupt, Carlton. Er allein weiß, daß ich das Anwesen nicht verkaufen kann. Wenigstens jetzt noch nicht. Ach, Frank, wenn du wüßtest, wie schwer mir das alles fällt . . .

Sie sah Scoulder mit ihren großen Augen an. Er wartete auf eine Antwort, und um ihn nicht zu enttäuschen, sagte sie leise: »Wir werden bestimmt glücklich werden, Frank.«

»Du sagst ja?« fragte er voll innerer Spannung.

»Warte noch ein paar Wochen, Frank. Bitte, bitte warte.«

Ronnie Wals fiel es schwer, weiterzusprechen. »Wenn wir heiraten, will ich alles vergessen, was vorher war. Alles! Ich will an deiner Seite ein neuer Mensch sein. Und darum laß mir Zeit, ich bitte dich darum.«

Frank Scoulder nickte und schien enttäuscht. Er zahlte die beiden Flips, hob Ronnie von dem hohen Hocker herab und legte seinen rechten Arm um sie.

Meter für Meter kämpften sie sich durch die Menschenmassen, bis sie zu dem großen Parkplatz kamen, auf dem sie Franks Auto abgestellt hatten.

»Bleiben wir denn heute abend zusammen?« fragte er, als sie im Wagen saßen.

»Ja, Frank.«

Er lachte befreit, zog sie zu sich herüber und vergrub sein Gesicht in ihren duftenden Haaren. So sah er nicht, daß ihre Augen trüb und verschleiert waren.

»Fahren wir zu mir, Darling?« schlug er vor. Seine Stimme schien voll von Glück, und seine Augen blitzten auf, als Ronnie ohne zu zögern nickte.

Langsam fuhren sie nach New York City zurück. Als sie vor dem Wolkenkratzer ankamen, in dem Frank wohnte, brach bereits die Abenddämmerung herein.

Frank Scoulders luxuriöses Zwei-Zimmer-Appartement lag im 27. Stock. Die Gestaltung des kleinen Eingangsflurs und die Anordnung des großzügigen Wohnzimmers verrieten auf den ersten Blick, daß Frank seine Wohnung mit viel Geschmack eingerichtet hatte. Scoulder führte Ronnie zu der großen Wohnlandschaft, die den Raum beherrschte und bat sie, es sich bequem zu machen. Nachdem er an seiner gutbestückten Bar einen »Manhattan« gemixt hatte, kam er mit den beiden gefüllten Gläsern zurück und setzte sich neben Ronnie:

»Ich bin sehr glücklich, daß du mitgekommen bist, Darling. Zum erstenmal habe ich dich ganz alleine für mich. Niemand kann uns hier stören. Ich weiß so wenig von dir – und dabei würde ich gerne alles wissen . . .«

Ronnie unterbrach ihn. »Es soll bestimmt keine Geheimnisse zwischen uns geben, Frank. Aber du mußt mir Zeit lassen. Eines Tages werde ich dir wirklich alles erzählen können, und vielleicht ist dieser Tag gar nicht mehr so fern. Aber bis dahin – bitte, frag nicht mehr. Vor allem ...« Sie erhob sich: »Laß uns heute abend dieses Thema vergessen. Wir sind zusammen – ist das nicht alles?«

Frank sah zu Ronnie auf, die vor ihm stand. Die veränderte Perspektive ließ sie noch viel attraktiver erscheinen. Ihre Gestalt wirkte verlängert, dadurch kam ihre Figur noch vorteilhafter zur Geltung. Franks Blick glitt vom Rockansatz über die leicht gerundeten Hüften und der nun besonders schmal erscheinenden Taille zu Ronnies Brüsten, die sich unter dem leichten Sommerkleid herausfordernd abhoben. Ein wildes Verlangen stieg in ihm auf, das im Moment alle seine anderen Überlegungen verdrängte.

Er sprang auf, preßte Ronnie mit einer schnellen Umarmung an seinen Körper und bedeckte ihren Ausschnitt mit heißen Küssen.

Sie bog sich zurück, nicht unwillig, aber doch bestimmt, und löste sich aus seinen Armen. »Frank, wir haben Zeit ... ich werde heute bei dir bleiben ... Willst du mich zur Strafe dafür verhungern lassen?«

Frank trat einen Schritt zurück und wischte sich über seine Augen. Dann erst bemerkte er, daß es draußen inzwischen völlig dunkel geworden war. Langsam führte er Ronnie zu der großen Fenstertüre und öffnete diese. Sie traten auf einen kleinen Balkon. Weit öffnete sich ihnen der Blick über das abendliche New York, über Manhattan bis hin zum Hudson River. Links von ihnen hoben sich das

Empire State Building und das Rockefeller Center gegen den sternenbedeckten Himmel ab. Es war eine laue Juninacht, nur in dieser Höhe spürte man einen leichten Wind, der jedoch angenehme Kühlung spendete.

Ronnie hatte ihre rechte Hand in die linke Franks gelegt. »Wie wenig Ahnung die Leute haben, wenn sie immer sagen, New York wäre eine Anhäufung von Beton. Gibt es etwas Romantischeres als diesen Blick über das erleuchtete Häusermeer?«

»Du kommst ins Schwärmen, Darling«, lachte Frank. »Ich hoffe, das nächtliche New York bleibt nicht unser aufregendstes Erlebnis. Es gibt so viele herrliche Plätze auf der Welt. Ich möchte sie alle mit dir besuchen und bewundern. Immer sollst du an meiner Seite sein, wenn es besonders schön zu werden verspricht.«

Ronnie wandte sich ab. Die Tränen, die in ihren Augen standen, sollte Frank nicht sehen. Ein glückliches Leben an seiner Seite – würde das jemals Wahrheit werden können? Wie würde Frank sich verhalten, wenn er eines Tages wirklich alles erfuhr?

Rasch ging sie ins Zimmer zurück. Frank folgte ihr.

»Nun werde ich aber dafür sorgen, daß du nicht nur mit romantischen Erlebnissen gefüttert wirst. Was darf ich dir servieren lassen?«

»Unterhältst du hier einen Hotelbetrieb?«

»Nein, aber unten im Haus ist ein gutes Restaurant, und wenn dein Sinn nicht gerade nach gerösteten Heuschrekken steht, werde ich deinen Wunsch wohl erfüllen lassen können.«

Ronnie entschied sich für Hummer indonesisch. Frank

bestellte telefonisch und orderte dabei für sich selbst ein T-Bone-Steak.

Etwa eine halbe Stunde später wurden die Speisen gebracht. Sie waren auf Silbertabletts appetitanregend angerichtet. Inzwischen hatte Frank schon eine Flasche Pommery geöffnet.

Das Essen verlief in völliger Harmonie. Ronnie lobte die raffinierte Zubereitung und meinte, Frank solle sie nicht zu sehr verwöhnen, sonst würde sie dieses Restaurant laufend besuchen. Worauf Frank natürlich mit dem Kompliment konterte, daß er sich nichts Schöneres vorstellen könne, als Ronnie stets bei sich zu haben.

»Du erinnerst dich hoffentlich daran, daß ich es war, der dich heute nachmittag fragte, ob wir nicht bald heiraten sollten . . .«

Statt einer Antwort erhob sich Ronnie und forderte Frank mit einer Gebärde auf, dasselbe zu tun. Aus den Lautsprechern der Stereoanlage ertönte gerade »Moonlight-Serenade«, jene verführerische Melodie, die im Glenn-Miller-Sound zu einem Welthit geworden war. Ronnie legte ihren rechten Arm um Franks Schulter und fing langsam an, mit ihm zu tanzen. Frank spürte, wie sich ihr warmer, fester Körper an ihn drückte, und eine Welle des Begehrens stieg in ihm auf. Sie ist ein Teufel von einer Frau – dachte er – ein Prachtweib – viel zu schade für . . .

Doch er verbannte die Gedanken sofort. Zu verführerisch war die Gegenwart.

Sie tanzten immer enger. Längst hatte Ronnie beide Arme um Franks Hals gelegt. Auf der Platte sang jetzt

Frank Sinatra »Three Coins in the Fountain«. Ronnies Lippen glitten über Franks Gesicht. Ihre Zunge umschmeichelte die sensible Stelle hinter seinem Ohr. Doch nicht eine Sekunde unterbrach sie den Tanz. Auch dann nicht, als Frank behutsam den Reißverschluß ihres Kleides öffnete, um sie während des Tanzens auf dem Rücken streicheln zu können. Sanft glitten die Fingerspitzen seiner rechten Hand ihre Wirbelsäule entlang. Manchmal spürte er, wie seine Zärtlichkeit bei Ronnie einen wohligen Schauer hervorrief. Sie bog sich dann jedesmal etwas zurück und wand sich leicht in seinen Armen. Wie von selbst fanden sich plötzlich ihre Lippen zu einem leidenschaftlichen Kuß, der wohl auch in Ronnie glutvolles Begehren weckte. Denn als Frank mit einem Griff die Tür zu seinem Schlafzimmer öffnete, tanzte sie mit ihm hinein, ohne eine Geste des Widerstandes spüren zu lassen.

Vor seinem breiten, französischen Bett, das mit schwarzem Satin bezogen war, hielten sie an. Noch einmal küßte Frank die erwartungsvoll vor ihm stehende Frau, bevor er sich mit ihr in die weichen Kissen niedersinken ließ. Fordernd glitten seine Finger über ihren Körper; durch den feinen Stoff ihres Kleides spürte er jede Erhebung ihres Körpers. Und so blieb ihm auch nicht verborgen, daß sie Strumpfhalter trug. Das stachelte sein Verlangen noch stärker an. Er mußte sich zwingen, seine Finger von der Erhebung zu nehmen, die sich zwischen dem Ansatz ihrer Beine abzeichnete. Um sich von diesem verheißungsvollen Ziel abzulenken, führte er seine Hand nach oben und umschloß damit ihre rechte Brust, die sie ihm bebend entgegenhob.

Als er wahrnahm, wie sie begann sein Hemd aufzuknöpfen, um seine Brust zu küssen, half er ihr, indem er sich selbst auszog. Währenddessen stand Ronnie auf und ging aus dem Schlafraum. Er hörte, wie sie das Licht im Bad anknipste. Voller Erwartung malte Frank sich die Rückkehr Ronnies aus. Sicher würde sie völlig nackt erscheinen. Zum erstenmal sollte er dann diesen begehrenswerten Körper sehen, der wohl über alles verfügte, was einen Mann in den Taumel der Sinne reißen konnte. So war Frank fast enttäuscht, als Ronnie zurückkam, scheinbar so, wie sie ihn verlassen hatte. Sie blieb vor dem Bett stehen und streifte dann verführerisch langsam die Träger ihres Kleides über die Schultern. Langsam glitt der Stoff an ihrem Körper entlang und fiel zu Boden. Nun erst konnte Frank sehen, daß sie nicht umsonst ins Bad gegangen war. Sie hatte dort Slip und Büstenhalter ausgezogen. Jetzt stand sie vor ihm – ihre bloßen Brüste hoben und senkten sich, in kaum unterdrückter Sinnlichkeit.

Den spitzenbesetzten Strumpfhaltergürtel und die schwarzen Strümpfe ließ sie an, als sie sich neben ihn legte – wohl wissend, daß sie seine Lust damit auf unermeßliche Höhen steigern würde.

Frank konnte sich auch wirklich nicht mehr zurückhalten. Er warf sich auf sie und bedeckte ihren Körper mit wilden Küssen. Ronnie fing an, leise zu stöhnen. Mit beiden Händen nahm sie seinen Kopf und veranlaßte Frank auf diese Weise, sich wieder neben sie zu legen. Sie wollte ihm zeigen, daß auch sie bereit war, ihm alles zu geben. Wie lange war es her, daß sie dieses Gefühl nicht mehr erlebt hatte. Nicht etwa, daß sie sich nicht danach gesehnt hätte, in den vielen einsamen Nächten. Nicht etwa, daß es keine Männer gegeben hätte, deren einzige Sehnsucht es gewesen wäre, in ihrem Bett zu liegen. – Aber sie hatte sich auferlegt, auf den einen zu warten. Nun war er da, wollte sie sogar heiraten. Aber da war noch diese eine Sache . . .

Frank spürte, daß die Frau neben ihm anderen Gedanken nachging. So beugte er sich über sie und küßte sie erneut. Sofort kam ihre Erregung wieder.

Sie liebten sich oft und auf vielfältige Weise in dieser Nacht. Es war, als wollte Ronnie in wenigen Stunden all das nachholen, worauf sie in den letzten Jahren freiwillig verzichtet hatte. Sie liebte, und sie wollte zeigen, was ihr Lieben bedeutete. Frank wurde zum Beschenkten, und er wehrte sich nicht dagegen. Er wußte, solch eine Liebesnacht würde er nie wieder erleben. Denn hier war nicht nur eine Frau, die alle Freuden des Bettes beherrschte, hier war vor allem eine Frau, die Wollust mit der Hingabe des Herzens verband.

Frank lag noch etwas wach, als Ronnie in den frühen Morgenstunden ermattet in seinen Armen einschlief. Er zündete sich eine Zigarette an und sah in ihr glücklich lächelndes Gesicht, das die Flamme des Feuerzeugs teilweise erhellte.

»Die Dame ist zu schade fürs Feuer«, sagte er zögernd zu sich selbst. Doch kurz darauf nahmen seine Züge wieder den entschlossenen Ausdruck an, den Ronnie als Ausdruck der Männlichkeit so an ihm schätzte.

19

Während Ronnie mit Frank in dessen Appartement saß und sich den Hummer schmecken ließ, hatte es sich Stewart Bennols in dem Büro von Ernest Carlton, das an der Westend Avenue lag, gemütlich gemacht. Er lehnte sich in einem großen, schweren Ledersessel zurück und stopfte sich in aller Ruhe seine Pfeife. Carlton sah den Lieutenant verbissen, aber auch ein wenig ängstlich an. Seit einer Viertelstunde, so dachte er, sitzt dieser widerliche Kerl hier im Büro, ohne bis jetzt gesagt zu haben, was ihn hierhergeführt hat. Carlton ging in Gedanken sein Sündenregister durch und kam dann zu dem Schluß, daß Bennols unmöglich von den Dingen Kenntnis haben konnte, um deretwillen er stets ein schlechtes Gewissen haben mußte.

»Sind Sie bald fertig mit Ihrer Stopferei?« fauchte er Bennols an. »Sie machen mich nervös mit Ihrer dummen Pfeife.«

»Sie können nervös werden, Ernest?« fragte Bennols bedächtig. »Das ist wirklich das Neueste und auch Erfreulichste, was ich höre.«

»Wer hat Ihnen erlaubt, mich Ernest zu nennen?« schrie Carlton. Sein Gesicht war hochrot. Jetzt platzt er gleich, dachte Bennols, und zog den Reißverschluß seines Tabakbeutels zu. Er hat ein schlechtes Gewissen und augenscheinlich einen zu hohen Blutdruck. Die Aufregung wirft ihn ja fast um.

»Seien Sie fort, daß Sie jemand noch mit Ihrem Vornamen anredet. In den Gefängnissen der USA haben die Insassen lediglich eine Nummer! Sie würden vielleicht NY 237892 tragen! Nur wer sich besonders gut führt, wer als Kalfaktor tätig ist und seinen ›Kollegen‹ das Essen bringen oder die Klosetts säubern darf, wird mit seinem Namen angeredet. Da ist Ernest dann schon eine ganz besondere Auszeichnung . . .«

»Der Teufel hole Sie!« schnaubte Carlton. Er war blaß geworden und begann zu beben. »Was haben Sie mir vorzuwerfen?«

»Mangelnde Ehrlichkeit, Carlton.«

»Ich bin ein ehrlicher Geschäftsmann! Meine Bücher halten jeder Kontrolle stand.«

»Weil sie wundervoll frisiert sind! Aber das meine ich nicht, Carlton. Sie sind der Polizei gegenüber nicht ehrlich! Sie verschweigen etwas, das uns sehr viel nützen und unsere Ermittlungsarbeit erleichtern könnte! Durch Ihr Schweigen machen Sie sich mitschuldig an drei Morden – und Sie werden auch schuldig an den Morden sein, die noch geschehen . . .«

Carlton lehnte sich zurück. Er zitterte sichtbar. »Drei Morde?!« stöhnte er. »Und es werden noch mehr folgen? Ich weiß nichts von drei Morden, bisher haben Sie mir nur etwas von Paddleton gesagt.«

»Auch damals haben Sie Murrey und Corner nur etwas vorgespielt, als Sie so taten, als wüßten Sie noch nichts über Paddletons gewaltsamen Tod. Sie verschweigen etwas, Carlton!«

»Nein!«

»Doch!«

»Zum Teufel – nein!«

»Schreien Sie nicht so!« Bennols setzte behutsam den Tabak in Brand. Vorsichtig drückte er nach einigen Zügen die Glut fester in den Pfeifenkopf.

»Kleine Beamte werden schlecht bezahlt«, sagte er philosophisch. »Sie müssen den billigsten Tabak rauchen. Da haben Sie es besser, Carlton.« Bennols deutete auf Carltons Klimatruhe. »Sie rauchen Havannas. Noch! Im Sing-Sing gibt es Zigarren höchstens für die Außenkommandos. Nicht für so schwere Jungs wie Sie!« Bennols blies genüßlich den Rauch in den Raum.

»Gehen Sie hin, wo der Pfeffer wächst!«

»Nicht übel. Ist das etwa schon ein verschlüsselter Hinweis? Mit Pfeffer handelte nämlich auch Gino Bertolli . . .«

Carlton schüttelte den Kopf.

»Mario Bertolli!« berichtigte er wichtigtuerisch. Aber im gleichen Augenblick merkte er, daß er sich mit diesen Worten verraten hatte. Er sprang auf und trommelte mit beiden Fäusten auf die Tischplatte. Hysterisch schrie er Bennols an: »Sie Satan! Sie verfluchtes Schwein! Sie Höllenhund!«

Bennols lächelte und klopfte die Pfeife aus.

»Dreimal Beamtenbeleidigung, Carlton. Macht den Kohl noch ein wenig fetter! Was war also mit diesem Bertolli?«

»Nichts!« stöhnte Carlton. Er sank in seinen Sessel zurück. Seine Hände krampften sich um die Lehne, so daß die Knöchel durch die Haut hervortraten. »Ich sage jetzt nichts mehr.«

»Schade. Dann wird uns nichts anderes übrig bleiben, als

Sie in Untersuchungshaft schmoren zu lassen! Wir haben da unsere gewissen Methoden, auch Sie zum Singen zu bringen, Carlton. Haben Sie schon einmal etwas vom ›Dritten Grad‹ gehört?!«

»Das ist eine Drohung!« Carlton war wieder aufgesprungen. »Das sind Gangstermethoden! Ich werde sofort meinen Anwalt anrufen!«

»Tun Sie das, Carlton. Tun Sie das! Der Mann wird, wenn überhaupt, eine schwierige Verteidigung übernehmen. Im übrigen: Ihresgleichen, Gangster nämlich, haben uns gelehrt, wie man mit jemandem umgehen muß, um ein Geständnis zu bekommen! Wissen Sie, daß ein netter Bursche, ein gewisser Vatta aus Chikago, zwei Polizisten in einen Waschkessel setzte, darunter Feuer anzündete und die beiden bei lebendigem Leibe kochte, bis sie verrieten, was in der Inspektorenkonferenz über die nächsten Maßnahmen gegen die Mafia beschlossen worden war?!«

Carlton wandte sich ab.

»Hören Sie auf«, bat er. »Mir wird schlecht.«

»Wir sind da etwas humaner, Carlton. Wir haben eine 200 Watt starke Glühbirne, die Sie Tag und Nacht bescheint. Dabei fragen zwei Mann Ihnen das Herz aus dem Leib. Wir wechseln uns in vier Schichten ab; aber Sie sitzen ohne Pause vor dieser Lampe und werden weich wie Butter. Für den Fall, daß Sie umkippen, steht ein Eimer Eiswasser bereit. Da sind Sie dann schnell wieder fit, und die Fragerei geht weiter. Glauben Sie, Carlton, daß Sie das länger aushalten als einen Tag und eine Nacht?«

Carlton setzte sich. Er schlug die Hände vor das Gesicht und stammelte: »Bertolli hat sich bei mir Geld geliehen.«

»Zins?«

»20%.«

»Das nennt man ein Geschäft. Und weiter!«

»Es waren nur fünftausend Dollar. Er wollte einen neuen Drugstore kaufen und hatte die Kaufsumme nicht flüssig. Er konnte keinen Tag länger warten, da ihm ansonsten die Konkurrenz den Laden weggeschnappt hätte. Dieser Store lag immerhin an der Regierungsstraße nach Washington. Eine Goldgrube also.«

»Und das haben Sie gleich ausgenützt! Weiter!«

»Bertolli spekulierte mit Aktien. Vor zwei Monaten machte er einen schweren Fehler und kaufte faule Papiere. Ein Gauner hatte sie ihm angedreht. Sie waren von Kupferminen in Colorado. Die Aktien sanken in drei Wochen um fünfzig Cents pro Dollarwert! Bertolli verlor fast 45 000 Dollar. In vier Wochen hätte er zahlen müssen. Er hatte zwar noch 30000 Dollar auf der Bank, aber das brauchte er, um seine Lieferanten zu bezahlen. Kurz darauf wurde er ermordet – ich las es in der Zeitung. Ein schwerer Verlust für mich. Wer gibt mir nun meine fünftausend Dollar wieder?«

»Sie werden ihn ertragen können. Mich interessiert vielmehr, warum Sie sich nicht gemeldet haben, als Sie von dem Mord erfuhren?«

»Was hätte ich davon gehabt? Nur Scherereien. Daß ich von dem Toten mein Geld nicht wiederbekommen würde, konnte ich mir selbst ausrechnen. Er hatte ja über die fünftausend Dollar hinaus noch Geld von mir borgen wollen. Zum Glück habe ich es ihm nicht gegeben . . .«

»Wenn Sie es ihm gegeben hätten, wäre Bertolli noch am

Leben, denn er brauchte Geld, und deshalb wollte er es sich über eine Heirat besorgen.«

»Er wollte heiraten?«

»Ja, eine reiche Frau. Er wollte die ihm verbliebenen 30000 Dollar dafür einsetzen. Und wahrscheinlich wußten nur Sie, daß er diesen Betrag noch auf seinem Konto hatte. Sie gaben den Tip weiter . . .«

»Lassen Sie Ihre Verdächtigungen. Ich habe mit dem Mord an Bertolli nichts zu tun.«

Bennols wechselte das Thema.

»Und wie war es bei Martin?«

»Martin?« fragte Carlton verständnislos.

»Cecil B. Martin.« Bennols nickte freundlich. »Auch er wurde ermordet!«

»Ach ja, ich erinnere mich an die Pressemeldungen.«

»Nur daran? Carlton? Martin war Ihr Kunde; Paddleton ebenfalls. Martin war Millionär, aber auch er ist in Verbindung mit den anderen Mordopfern zu bringen. Er lieferte Ware an Bertolli und kannte auch Sie!«

»Mich?« Carlton sah Bennols ungläubig an.

»Ihr Name steht auf einer Liste, die wir angefertigt haben und auf der alle Bekannten des Toten aufgeführt sind. Man fand Ihre Adresse in Martins Notizbuch.«

»Vielleicht wollte er sich erst mit mir in Verbindung setzen?«

Bennols erhob sich.

»Tun Sie nicht so unschuldig, Carlton. Es geht ja auch um Ihren Kopf! Denken Sie doch einmal nach: Es hat drei Morde gegeben; und wenn wir Ihnen nachweisen können, daß Sie auch nur mit einem davon in Verbindung zu bringen sind, dann sieht die Sache verdammt kritisch für Sie aus! Auch ein Alibi ist dann kein sicherer Gegenbeweis. Gauner wie Ihnen glaubt man nicht so leicht.«

»Sie beleidigen mich!« schnaubte Carlton. »Sie haben keine Beweise . . . Gar nichts haben Sie! Mein Geschäft bringt es mit sich, viele Leute zu kennen. Warum soll ich also diesen Mr. Martin nicht auch kennen?«

»Sie geben damit zu, ihn zu kennen?«

»Nichts gebe ich zu!« schrie Carlton. »Ich sagte: Warum nicht . . .!«

»Hm.« Stewart Bennols rieb sich das Kinn, als denke er angestrengt nach.

»Sie haben doch verdammt gute Nerven, Carlton?!«

»So gute immer noch, um Ihnen zu sagen, daß Sie ein widerlicher Bursche sind!«

»All right.« Bennols lächelte breit. »Dann werden wir Sie mal in das Schauhaus mitnehmen und Ihnen die drei auf Eis gelegten Toten zeigen! Vielleicht erinnern Sie sich dann doch an einiges, was Sie jetzt vergessen haben wollen.«

Carlton war blaß geworden. Er umklammerte wieder die Sessellehne und atmete schwer.

»Sie sind ein Sadist«, keuchte er.

»Sie haben Bertolli an Martin verwiesen«, sagte Bennols mit sanfter Stimme, »weil Sie sich erhofften, daß er durch ein gutes Geschäft auch Ihre fünftausend Dollar wieder verdienen könne. Bei Martin kaufte Bertolli billigen Ramsch, um diesen dann zu normalen Preisen in seinen Drugstores zu verkaufen! Den Mehrerlös wollten Sie teilen. Als Abschlagszahlung auf das Darlehen.«

Carlton wischte sich mit der Hand über die Stirn. Sie

glänzte vor Schweiß. Er sah von Minute zu Minute verfallener und älter aus.

»Stimmt es, was ich sage?« fragte Bennols scharf. Carlton zuckte zusammen.

»Ich sage nichts!« stammelte er.

»Daß Sie nichts sagen, sagt mir genug! Soll ich Ihnen noch verraten, daß auch Martin auf Freiersfüßen wandelte? Oder wissen Sie das auch schon? Weil Sie auch ihn auf dem Gewissen haben?«

Carlton biß die Lippen aufeinander. Es war, als habe er innerlich völlig abgeschaltet. Er beantwortete keine Frage mehr und bemühte sich, durch Bennols hindurchzusehen wie durch eine Glaswand.

Achselzuckend brach der Lieutenant auf, um ins Präsidium zu Inspector Corner zurückzufahren. Bevor er aber das Zimmer Carltons endgültig verließ, wandte er sich in der Tür noch einmal zu dem im Sessel sitzenden Mann um.

»Wir werden Sie morgen holen, Carlton! Versuchen Sie nicht, uns zu entkommen. Es hätte keinen Sinn. Sie werden beschattet! Ich lasse Ihnen noch 24 Stunden Zeit. Denken Sie über alles nach. Vielleicht können Sie sich dann doch dazu durchringen, die Wahrheit zu sagen. Nach diesen 24 Stunden werden wir weniger höflich sein, das wissen Sie! Nutzen Sie die kleine Galgenfrist, mein Lieber. Und nun – schlafen Sie gut.«

Als Stewart Bennols das Büro verlassen hatte, brach Carlton zusammen. Er schrie hysterisch auf, rannte im Zimmer hin und her und hieb mit der Faust auf seinen Schreibtisch.

Es dauerte lange, bis er sich wieder beruhigte. Bei einem Whisky fing er an zu überlegen.

Drei Männer waren ermordet worden. Drei Männer, die er kannte und mit denen er geschäftlich verbunden war. Und deshalb vermutete die Polizei, daß er der Mörder sei oder zumindest von den Morden gewußt habe. Carlton schüttelte sich. Nein, Mord war nicht seine Sache. Kleine Gaunereien, undurchsichtige Geldgeschäfte, sanfte Erpressungen – das konnte man ihm anlasten. Die wirklich heißen Dinge hatten immer andere gedreht.

Aber war er das einzige Verbindungsglied zwischen den drei ermordeten Männern? Hatte Bennols nicht auch etwas von Heiratsplänen gesagt? Jedenfalls hatten Bertolli und Paddleton auf Heiratsinserate geschrieben. Verflucht, er hätte Bennols fragen sollen, ob Martin etwa auch auf diese Weise sein Glück machen wollte . . . Aber angenommen, auch Martin hätte so gehandelt – dann wären doch auch diese Heiratspläne eine Gemeinsamkeit. Ob eine Frau hinter den Morden steckt?

Carlton erinnerte sich plötzlich an diesen Nachmittag, als er im Central Park spazieren gehen wollte und dabei zufällig sah, wie Paddleton in Ronnie Wals' Wagen einstieg. Ein Gedanke ergriff von ihm Besitz. Wenn wirklich Heiratspläne den Tod der drei Männer verschuldet haben sollten, dann mußte Mrs. Wals ihre Hände mit im Spiel haben oder gar die Mörderin selbst sein.

Carlton wußte in diesem Moment natürlich nicht, daß er damit der Lösung näher gekommen war als die Polizei. Aber selbst, wenn ihm dies bekannt gewesen wäre, hätte er sein Wissen niemals Murrey oder Corner oder Bennols mitgeteilt. Carlton war und blieb ein Verbrecher – er nutzte jede Situation stets zu seinem Vorteil aus. Und so sah er sofort die Chance einer kleinen Erpressung.

Mit zitternden Fingern griff er zum Telefon und wählte die Nummer von Ronnie Wals. Leider meldete sich nur die Haushälterin.

»Hier ist Ernest Carlton. Ich möchte Mrs. Wals sprechen. Es ist dringend.«

»Einen Moment, Mr. Carlton, ich muß nach oben verbinden.«

Es knackte zweimal in der Leitung, dann vernahm der ungeduldig wartende Carlton Ronnies Stimme.

»Finden Sie nicht, daß es für einen Anruf ungebührlich spät ist, Mr. Carlton?«

»Es ist in Ihrem Interesse, Mrs. Wals. Ich muß Sie dringend sprechen, das sagte ich wohl schon. – Nein, es handelt sich nicht um die Rückzahlung; oder vielmehr doch. Ich bin da auf etwas gestoßen, was Sie vielleicht veranlassen könnte, unseren Zinssatz freiwillig zu erhöhen. – Aber Mrs. Wals, ich bitte Sie. Werden Sie nicht ausfallend. Sie sollten gerade mir gegenüber besonders höflich sein. – Sie meinen, ich spreche in Rätseln. Nun, verehrte Mrs. Wals, das läßt sich ändern. Ich rede von den drei spektakulären Morden. Glauben Sie mir, durch den Tod dieser drei Männer habe ich große Verluste erlitten. – Sie verstehen immer noch nicht? Nun, dann darf ich Sie vielleicht erneut auf Ihre finanzielle Misere hinweisen. Sie brauchen dringend Geld. Die drei ermordeten Herren hatten nicht gerade wenig davon. – Lassen Sie mich bitte ausreden, Mrs. Wals. Ich bekomme ein Bild nicht mehr aus meinem Gedächtnis. Ich sprach Sie ja schon einmal daraufhin an. Erinnern Sie sich nicht? Nur habe ich zu der Zeit die tiefere Bedeutung nicht erkannt, die sich hinter meiner zufälligen Beobachtung verbarg. Dämmert es Ihnen nun? Dem lieben Mr. Paddleton ist das Treffen mit Ihnen im Central Park sehr schlecht bekommen, wie man lesen konnte. – Ich bin noch nicht fertig, Mrs. Wals. Damit auch Sie spüren, wie heiß die Sache geworden ist: Die Polizei war gerade bei mir. Inspector Corner und dieser verdammte Bennols wissen mehr, als Ihnen lieb sein kann. Sie wollen, daß ich morgen aussage. Und das werde ich tun, wenn wir uns nicht heute nacht noch über den Preis einig werden. – Nein, nicht am Telefon. Schließlich brauche ich Ihre Unterschrift. – Sie müssen sich schon zu mir bemühen, wie das bei wichtigen Geschäften üblich ist. Und wichtig, lebenswichtig, wie ich wohl richtig einschätze, ist unser Geschäft doch für Sie, nicht wahr, Mrs. Wals? – Sehen Sie, ich wußte, Sie würden vernünftig sein. Ich erwarte Sie also heute nacht. Sagen wir, gegen ein Uhr. Benutzen Sie nicht die Vordertür, sondern nehmen Sie wieder den Ihnen schon bekannten Kellereingang von der 76. Straße aus. Da ich höchstwahrscheinlich beschattet werde, lösche ich alle Lichter. So wird niemand Verdacht schöpfen. Am klügsten ist es sicherlich auch, wenn Sie Ihren Wagen entfernt von dem Haus parken und die letzte Distanz zu Fuß zurücklegen. Ich werde die Tür extra nicht verschließen. Bis heute nacht dann, Mrs. Wals. Auf Wiederhören!«

Carlton legte den Hörer auf die Gabel und lehnte sich aufatmend zurück. Er goß sich einen weiteren Whisky ein, den er mit einem Zug austrank.

Gegen 23.15 Uhr verließ er leise sein Büro und fuhr mit dem Fahrstuhl in den Keller. Im dunklen Raum, der nur von dem durch ein schmutziges Oberlicht hereinfallenden Schein einer Straßenlaterne notdürftig erhellt wurde, stellte er sich hinter die Türe und wartete.

Bald darauf sah er, wie die Türe langsam und vorsichtig geöffnet wurde. Eine schmale Gestalt, die einen langen Mantel mit einer angesetzten Kapuze trug, wurde schemenhaft für kurze Zeit im Gegenlicht sichtbar. Die Gestalt schloß die Türe ebenso behutsam, wie sie sie geöffnet hatte.

»Mrs. Wals?« flüsterte Carlton, um damit seine Anwesenheit kundzutun.

Er erhielt keine Antwort.

Sie ist anscheinend schon total eingeschüchtert, dachte Carlton zufrieden. Sicherlich hatte er nun leichtes Spiel mit ihr, da sie ganz offensichtlich tief in diese Mordgeschichten verwickelt ist. Er würde einen noch höheren Zinssatz fordern, als er zuerst überlegt hatte. Sein Schweigen mußte sich diese ihm gegenüber so vornehm und abweisend verhaltende Frau etwas kosten lassen.

Carlton ging ein paar Schritte auf die Gestalt zu.

»Ihr Glück, daß Sie sofort gekommen sind«, sagte Carlton. »Sie wissen ja, worum es geht. Kommen Sie mit nach oben, wir wollen dort alles erledigen.«

Die Gestalt an der Kellertür rührte sich nicht.

»Die Polizei war bei Ihnen?«

»Ja, sie will mich morgen holen«, antwortete Carlton und wunderte sich über die kühle, gar nicht aufgeregt wirkende Stimme von Ronnie Wals.

»Weswegen?«

»Man will alles über die drei Morde aus mir herausquetschen. Und wenn ich da auch nur eine Andeutung über Ihr Rendezvous mit Mr. Paddleton fallen lasse, dann . . .«

Die Gestalt ihm gegenüber machte eine Bewegung. Sie schlug den Mantel zurück. Für den Bruchteil einer Sekunde sah Carlton im Lichtschein das Gesicht. Und obwohl es durch die Kapuze immer noch verdeckt war, wußte Carlton doch plötzlich, daß nicht Ronnie Wals vor ihm stand.

Aber wer war es dann, der sich unter dem weiten Mantel verbarg? Wer konnte die Stimme von Mrs. Wals so täuschend nachahmen?

Carlton wollte vortreten und sein Gegenüber entlarven. Doch die Gestalt hob die Hand. Es blitzte kurz, ein schwacher, gedämpfter Knall durchdrang den stillen Raum. Schalldämpfer, dachte Carlton noch. Wirklich, Schalldämpfer. Dann sank er mit einem ungläubigen Gesicht zu Boden und starb mit einem schwachen, stöhnenden Laut.

Die Gestalt in dem dunklen Mantel und der Kapuze trat an den Toten heran. Sie beugte sich über ihn, um sich zu überzeugen, daß sie gut gezielt hatte.

Dann wandte sie sich ab, öffnete ohne Eile die Kellertür, zog diese wieder sorgsam hinter sich zu und verschwand in der Dunkelheit.

Am nächsten Morgen wurde der Tote von dem Hausmeister gefunden. Dieser rief die Polizei.

»Es war alles richtig, was ich sagte«, meinte Bennols zu

Corner, als sie am Tatort eintrafen.

»Carlton wußte etwas. Dieses Wissen hat ihn nun das Leben gekostet. Er muß den Mörder gekannt und verständigt haben. Dieser hat ihn als Mitwisser beseitigt.«

»Und wir haben einen Toten mehr. Mein Gott, ich darf gar nicht daran denken, wie Murrey fluchen wird. Denn der Fall hat sich damit noch mehr kompliziert.«

20

Corner sollte recht behalten. Murrey tobte, als er vom Tod Carltons erfuhr. Nur der Mörder hüllte sich in Schweigen. Es schien, als wolle er sich ein wenig erholen. Mit Carlton hatte er vermutlich die letzte Spur, die Corner und Bennols zu ihm führen konnte, zerstört. Nur das dicke Aktenbündel bei der Mordkommission, das stets warnend auf Corners Schreibtisch lag, erinnerte daran, daß in New York ein Verbrecher lebte, der mit einer gefährlichen Intelligenz drei Männer getötet und jetzt auch den einzigen Kronzeugen zum Verstummen gebracht hatte.

Murrey saß in seinem Dienstzimmer und zerkaute wütend eine Zigarre nach der anderen. Er glaubte, wenigstens die Presse beruhigt zu haben. Aber diese verhielt sich nicht aus Freundschaft zur Polizei still, sondern weil alle Redaktionen ihre fähigsten Reporter auf die Spur des Mörders gesetzt hatten, in der Hoffnung, jeweils die erste Zeitung sein zu können, die ihren Lesern eine Sensation bieten konnte.

Henry Corner benützte die Verschnaufpause, um noch einmal alle Tatorte zu besichtigen. So kam er am Mittwoch, dem 9. Juni, auch in die großen Hafenanlagen von Hoboken. Nicht weit von dem Schuppen, an den gelehnt man vor etwas über zwei Wochen Martin gefunden hatte, entdeckte er eine kleine Hafenarbeiterbar. Das Gefühl, doch wieder einmal, und zwar sofort, ein gutes Bier trinken zu müssen, veranlaßte Corner einzutreten. Er setzte sich auf einen der großen Hocker an der Theke. Da noch Arbeitszeit war, hatte der Besitzer kaum etwas zu tun. Lediglich in einer Ecke saß noch ein Pärchen. Corner zündete sich eine Zigarette an und drehte sich so, daß er durch das geöffnete Fenster den Betrieb in den Hafenanlagen beobachten konnte. Er sah hinüber zu den Lagerhallen und den Piers – ja, er konnte die gesamte Upper Bay mit ihren riesigen Kränen und hohen Silotürmen überblicken.

»Wie lange haben Sie denn abends auf?« fragte Corner den Besitzer und schob ihm das leere Glas zu.

»Noch'n Bier, Sir?«

»Ja.«

Der Wirt füllte das Glas und schob es über die Theke zu Corner hin.

»Wir haben Tag und Nacht geöffnet, Sir. Wir arbeiten in drei Schichten!«

»Jede Nacht?«

»Ja, Sir.«

»Ist Ihnen am 24. Mai nichts aufgefallen?«

»Am 24. Mai?« Der Mann sah Corner nachdenklich an und kratzte sich dabei hinter dem Ohr. »Das ist lange her, Sir.«

»Es war ein regnerischer Tag – und kalt, viel zu kalt für einen Frühlingsabend. Sie hatten bestimmt Gäste, die sich etwas Warmes bestellten.«

Der Besitzer sah auf seine Hände. Sie waren schlank, beweglich und blaß.

»War es der Abend, an dem man den Toten dort hinten am Schuppen fand?« fragte er zögernd.

»Genau dieser Abend! Wer war da hier bei Ihnen?«

Corner beugte sich über den Bartisch und schob das Glas, das ihm im Wege stand, zur Seite. Seine Augen sahen sein Gegenüber forschend an.

»Haben Sie keinen Wagen gesehen? Einen großen, hellgrauen Wagen vielleicht? Denken Sie einmal nach, und erinnern Sie sich an diesen Abend – an jede Einzelheit.«

Der Wirt hob die Schultern.

»Möglich, daß da ein Wagen war. Wer achtet darauf, Sir? Hier kommen viele Autos die Straße herunter und fahren zu den Schuppen. Tag und Nacht . . . Wie soll man wissen, ob in einem ein Mörder mit seinem Opfer sitzt?«

Henry Corner setzte sich seufzend zurück.

»Sonst nichts?«

»Doch . . . Halt . . . Da hatten wir einen Gast, den ich vorher nie gesehen hatte und der sich auch seither nicht mehr blicken ließ. Wissen Sie, wir haben sonst fast nur Stammkundschaft; die Hafenarbeiter hier aus den umliegenden Schuppen. Der Mann trank eine Cola. Was mir auffiel, war seine Sprache. Er sprach ein Englisch wie ein

Ire, vielleicht auch wie ein Holländer oder wie ein Deutscher. Ich kenne mich da nicht so aus, Sir.«

»Weiter . . .«

»Er kam von dem Schuppen an der Upper Bay herüber. Ich sehe das wieder deutlich vor mir. Ich fragte ihn noch, ob er nicht friere, denn er hatte keinen Mantel an, sondern trug nur einen Overall und eine Mütze. Seine Schuhe waren durchgelaufen. Er sah regelrecht heruntergekommen aus. Nachdem er die Cola getrunken hatte, brach er sofort wieder auf und verschwand dort zwischen den Silos in Hoboken.«

»Und wie sah er aus?«

»Groß, blond, die Haare hatte er bestimmt zwei Monate nicht mehr geschnitten, geschweige denn gewaschen. Außerdem trug er eine Chesterhose. Eine blaue, schmutzige Chesterhose. Ja, ich erinnere mich ganz genau . . .«

Der Wirt nickte eifrig mit dem Kopf.

»Das ist interessant.«

Inspector Corner hatte ein Notizbuch aus der Tasche gezogen und notierte sich die Angaben des Barbesitzers.

»War er verstört? Hatte er es eilig?« fragte er noch.

»Nein. Verhungert sah er aus. Und eilig – nein, der hatte Zeit, das sah man.«

Mit diesem mageren Ergebnis verließ Corner die Bar und – fuhr nicht ins Präsidium, sondern nach Hause. Seine Gedanken kreisten unentwegt um diesen schwierigen Fall. Bis jetzt waren alle Spuren im Sande verlaufen.

In seiner Wohnung angekommen, mixte er sich einen Drink, ließ sich in einen Sessel fallen und ging erneut alle seine Erkundungsfahrten durch. Irgendwo mußte es doch einen Anhaltspunkt geben, der dann letztlich zur Aufklärung der Morde führte. Sollte wirklich zum erstenmal so etwas wie ein perfektes Verbrechen gelungen sein?

Er war so versunken in seine Überlegungen, daß er aufschreckte, als das Telefon läutete.

Corner hob ab und schnellte vor Überraschung senkrecht aus seinem Sessel empor. Denn als er sich mit seinem üblichen »Hallo« gemeldet hatte, fragte eine schmeichelnde Frauenstimme am anderen Ende der Leitung: »Spreche ich mit Mr. Mario di Cardone?«

Corner zwang sich, nicht vor Freude durch die Zähne zu pfeifen. Scheinbar gelassen bejahte er.

»Sie haben auf unsere Heiratsanzeige geschrieben. Sind Sie noch interessiert?«

»Was sollte sich geändert haben?«

»Wir möchten uns Ihnen nicht aufdrängen. Eine unserer Klientinnen, eine Witwe aus San Franzisko, die von ihrem Mann umfangreiche Ländereien geerbt hat, wird in den nächsten Tagen nach New York kommen.«

»Können Sie mir mehr über die Dame erzählen?«

»Sie ist attraktiv, wenn Sie das wissen wollen, Mr. Cardone. Alles andere sollten Sie selbst feststellen. Ich möchte Ihnen vorschlagen, sich mit der Dame zu treffen.«

»Einverstanden. Wann und wo?«

»Würde Ihnen Sonntag, der 13. Juni, passen? Die Dame wird um 20 Uhr am Eingang des Mount-Morris-Parks, der Ecke Madison Avenue/122. Straße gegenüber, auf Sie warten. Sie sitzt in einem grauen Bentley. Wie Sie beide dann den Abend verbringen, können Sie an Ort und Stelle verabreden.«

»Kann ich das Kennzeichen des Wagens erfahren?«

»Das Kennzeichen ist uns nicht bekannt, Sir. Aber es wird sicher kein zweiter grauer Bentley dort stehen. Schließlich ist es ein sehr teurer Wagen. Sie können unsere Klientin also nicht verfehlen!«

Raffiniert, dachte Corner. Nur keine Spur verraten.

»Einverstanden!«

»Wir können uns darauf verlassen, daß Sie kommen, Mr. Cardone? Wissen Sie, unsere . . .«

»Sie können sich unbedingt darauf verlassen. Ich pflege Termine einzuhalten«, antwortete Corner und führte für sich das Gespräch weiter: Und wie ihr euch darauf verlassen könnt, daß ich dieses Stelldichein nicht verpasse!

»Ich danke Ihnen, Mr. Cardone. Wenn sich unsere Klientin und Sie sympathisch finden, werden wir ja wieder von Ihnen hören. Guten Abend.«

Die typische Maske eines Heiratsinstituts, dachte Corner, als seine Gesprächspartnerin aufgelegt hatte. Wer würde ahnen, daß sich dahinter ein Mordinstitut verbirgt?

Corner beschloß, Murrey und Bennols sofort zu unterrichten. Er zog sein Jackett an und verließ seufzend seine Wohnung. Es hätte ein gemütlicher Abend werden sollen. Im Fernsehen war ein Western mit John Wayne angekündigt – und für einen Westernfilm würde Inspector Corner vielleicht sogar ein verlockendes Rendezvous ausschlagen. Doch jetzt rief die Pflicht.

Im Präsidium angekommen, riß er stürmisch die Tür zu Bennols' Büro auf.

»Ist Murrey noch da?«

»Mein Gott, Chef, ist wieder ein Mord passiert?« Der gute Bennols blickte erschrocken auf. »Murrey sitzt in seinem Zimmer und zerbeißt Zigarren – Sie wissen ja . . .«

»Kommen Sie mit, ich habe ihm und Ihnen etwas zu erzählen.«

Murrey ließ sich keine Verwunderung anmerken, als Corner und Bennols noch so spät in sein Büro stürzten.

»Es scheint ja, als wäret ihr endlich aufgewacht. Wenn ihr jetzt auch noch anfangt zu denken, gibt es vielleicht endlich auch einmal Ergebnisse.«

»Sie werden lachen, Chief, es gibt sie. Das Heiratsinstitut ›Die Ehe‹ hat sich bei mir gemeldet.«

»Was Sie nicht sagen! Die Leute – oder vielleicht ist es auch nur einer – sind so einfach in Ihr Büro marschiert und haben gesagt: ›Hallo, hier sind wir, bitte legen Sie uns Handschellen an!‹«

»Daneben geschossen, Chief. Ich habe mich unter dem Namen Mario di Cardone als Heiratskandidat gemeldet, und jetzt bin ich zu einem Rendezvous bestellt!«

»Das ist ja toll«, grölte Bennols dazwischen. »Ihre Idee, Chef, war also goldrichtig!«

»Sie haben das auch gewußt, Bennols?« schaltete sich Murrey wieder ein. »Nur mir wird wohl nichts mehr erzählt, wie?«

»Ich wußte nicht, ob es klappen würde. Schließlich standen die Erfolgschancen 1000:1. Und über so ungewisse Dinge spricht man nicht gerne«, versuchte ihn Corner zu besänftigen.

»Wann soll denn das Treffen stattfinden?« lenkte Murrey ein, indem er wieder völlig sachlich wurde.

»Am Sonntag um 20 Uhr an einem Eingang des Mount-Morris-Parks.«

»Und haben Sie sich über den Ablauf schon Gedanken gemacht?«

»Yes, Chief. Während ich gerade hierherfuhr.«

Corner trat zu der großen Karte von New York, die an der Wand hing. Er legte den Finger auf einen grünen Fleck inmitten des Straßengewirrs.

»Hier ist der Treffpunkt. Ich werde allein hingehen!«

Murrey sprang auf. »Allein? Ohne das Gebiet abzuriegeln?«

Corner nickte. »Wir haben es mit einem außergewöhnlichen Mörder zu tun. Jede vorbereitete Polizeiaktion würde er merken. Ich werde diesen Mörder oder die Mörderin nur sehen, wenn ich als Mario di Cardone komme; allein, vertrauensselig, voller Erwartung der Dame, die ich ja eventuell zu heiraten gedenke. Ein wenig dumm muß ich auch sein, denn ein nüchtern denkender Mensch findet es sicher merkwürdig, daß sich eine hübsche Dame abends mit einem fremden Mann in einem Auto am Rande eines Parks trifft.«

»Und ich?« Bennols sah Corner traurig an. »Soll ich zu Hause hocken und Angst haben, daß dabei was schiefgeht? Nehmen Sie mich mit, Chef.«

»Auch ich bin dafür, daß Sie wenigstens Bennols in Ihrer Nähe lassen«, unterstützte Murrey den Lieutenant. »Wenn er in Sichtweite in einem Auto sitzt, wird die Dame keinen Verdacht schöpfen. Ein einzelner Beobachter fällt nicht auf.«

»Einverstanden«, stimmte Corner nach kurzem Zögern zu. »Aber Stewart, Sie müssen mir versprechen, erst einzugreifen, wenn ich pfeife, oder wenn Sie einen Schuß hören.«

»Dann kann es aber schon zu spät sein«, gab Bennols zu bedenken.

Inspector Corner lächelte und legte dem Lieutenant die Hand auf die Schulter.

»Unkraut vergeht nicht, Stewart. Und warum sollte die Mörderin den guten Mario di Cardone sofort umlegen? Sie will doch an sein Geld! Die Dame – falls sie überhaupt die Täterin ist – wird sich erst mit mir unterhalten müssen; und das letzte Wort spreche dann ich!«

»Ihr Wort in Gottes Ohr, Inspector«, murrte Murrey und kaute wieder an einer Zigarre herum. »Ich darf gar nicht daran denken, was für Schlagzeilen es geben wird, wenn die Sache schiefgeht. Und ich weiß auch gar nicht, warum ich überhaupt meine Zustimmung gebe. Wahrscheinlich nur, weil sich wieder einmal erwiesen hat, daß Sie eine fabelhafte Kenntnis von der Psychologie eines Mörders haben.«

21

Murrey, Corner und Bennols saßen noch diskutierend zusammen, als sie die Meldung von einem weiteren Mord erreichte.

In einer verlassenen Ruine, in einer der übelsten Ecken von Harlem, hatten spielende Negerkinder die schon in Verwesung übergegangene Leiche eines Mannes gefunden.

Sofort lief der gesamte Polizeiapparat wieder auf vollen Touren. Corner und der um seinen Schlaf jammernde Bennols fuhren sofort nach Harlem. Im Präsidium ließen sie einen trübe vor sich hinstarrenden Murrey zurück.

Es zeigte sich, daß zwar die Brieftasche des Opfers fehlte und auch sonst alle Identitätsmerkmale sorgfältig beseitigt worden waren, aber Bennols fand einen Kugelschreiber in der Jacke, dessen stumpfes Ende sich aufklappen ließ und auf diese Weise einen Stempel freigab. Die Mörder hatten diese Konstruktion wohl übersehen. Die auf dem Stempel wiedergegebene Anschrift wies den Ermordeten als Stanley White aus, wohnend in St. Georg, Staten Island.

Obwohl aufgrund dieses Fundes die polizeilichen Ermittlungen sehr erleichtert wurden, konnten Corner und Bennols auch erst am Mittag des nächsten Tages Murrey alle Ergebnisse vortragen.

»Es handelt sich praktisch um einen alten Mord, Sir. Deshalb konnte der Mann auch nicht gewarnt werden, nachdem wir alle Kandidaten, deren Chiffrebriefe noch in den Anzeigenabteilungen lagen, registriert hatten.«

»Was heißt hier ›alter Mord‹, Corner? Soll das etwa eine Entschuldigung sein?«

»Keineswegs, Sir. Ich will damit nur sagen, daß White sich sofort auf die Anzeige meldete, als sie am 19. Mai erschien. Er muß sich am 26. Mai mit der Dame, die ja auch ich bald sehen werde, getroffen haben. Denn am 27. Mai, so sagen jedenfalls die Pathologen, ist er ermordet worden.«

»Ich habe in seiner Wohnung nachgesehen«, meldete sich Bennols. »Dort fand ich diese Kopie. Es ist der Durchschlag eines Schreibens, das Sie gewissermaßen als Bewerbung Whites beim Institut ›Die Ehe‹ auffassen können. Sie sehen, White bezieht sich dabei ausdrücklich auf die Anzeige vom 19. Mai. White hat es eilig gehabt mit seinen Heiratsplänen. Noch an dem Tage, an dem er die Anzeige las, meldete er sich als Kandidat. Jedenfalls ist als Briefdatum der 19. Mai angeführt.«

Bennols wollte Murrey das dünne Papier überreichen. Doch dieser winkte ab.

»Geplündertes Konto?« fragte er nur.

»Wie immer, Sir.«

Corner trat vor. »Allerdings mußten sich diesmal die Verbrecher wieder teilen. Denn keines der beiden Konten von White hätte allein genügend Geld gebracht. So gingen in bekannter Weise wieder ein Mann und eine ältere Frau auf Tour. Der Verbrecher hob 15 000 Dollar, seine Komplizin 18 000 Dollar ab. Die Schecks sind ohne Zweifel von White selbst unterschrieben, wenn auch die Graphologen behaupten, eine kleine Veränderung, wahrscheinlich durch die Drogenwirkung bedingt, sei festzustellen.«

Murrey knurrte ärgerlich und biß an seiner Zigarre herum. Sie war längst erkaltet, und Bennols sah mit hämischer Freude, daß der Alte an ihr sog, wie ein Säugling an seinem Gummischnuller.

»Jedenfalls zeigt auch dieser Mord«, fuhr Corner fort, »daß der Täter sicher ist. Seine Tarnung ist vollkommen. Er rechnet mit der Diskretion aller, die ihm schreiben, mit der Scham der Männer, die einem galanten Abenteuer entgegengehen und deshalb kaum darüber reden. Schaden gegen Stillschweigen, heimliche Erwartung gegen Mord. Die Gleichung ging immer auf.«

»Und die Aussicht auf eine reiche Heirat läßt alle offensichtlichen Ungewöhnlichkeiten im Geschäftsgebaren des Instituts ›Die Ehe‹ übersehen«, führte Bennols den Gedankengang fort. »Und daraus wird dann eine tödliche Heirat.«

»Wie soll es weitergehen, meine Herren?« fragte Murrey.

»Ich fürchte, wir werden alle unsere Hoffnungen auf den Sonntagabend setzen müssen«, gab Corner zögernd zur Antwort, denn er befürchtete ob dieses Eingeständnisses seiner Ratlosigkeit einen neuen Wutausbruch Murreys. Doch dieser blieb ruhig.

»Wenn nur am Sonntag nichts schiefläuft«, meinte er nur.

Bennols meldete ebenfalls Zweifel an: »Chef, wenn es nun nicht klappt? Wenn der Mörder uns wieder durch die Lappen geht?«

»Unmöglich!« Henry Corner lächelte. »Ich werde den heiratslüsternen Mario spielen wie ein Broadway-Star!«

»Und wenn Sie die Dame versetzt?« warf Murrey ein.

»Sie wird kommen. Ich habe in meinem Brief geschrieben, daß ich ein Vermögen von 45 000 Dollar hätte.«

Chief Inspector Murrey grinste. »Netter Goldkäfer sind Sie, Henry! Ich drücke Ihnen beide Daumen.«

Das Lachen verging ihm sofort, als er ein Fernschreiben las, das ihm die Sekretärin hereinbrachte. Es kam von seinem höchsten Vorgesetzten und ließ in wenigen Sätzen erkennen, daß Murrey mit seiner Ablösung zu rechnen habe, wenn seine Dienststelle diesen Fall nicht bald löse.

Aber Murreys Leidensweg war damit noch nicht zu Ende.

Gegen 21 Uhr, Murrey saß eben zu Hause mit seiner Frau beim Dinner, rief Corner an und berichtete, daß der Heiratsmörder wieder zugeschlagen habe.

Doch der reiche Junggeselle und Tankstellenbesitzer Ralph Robert Bing war dem Mord mit knapper Not entgangen.

Er war vom Heiratsinstitut »Die Ehe« um 18 Uhr an den John-Jay-Park bestellt worden. Eine heiratswillige junge Dame würde dort auf ihn warten.

Als Bing mit seinem Ford vom östlichen Teil der 76. Straße kommend an den Treffpunkt heranfuhr, sah er schon aus einiger Entfernung den grauen Bentley. Froh darüber, daß er nicht warten mußte, parkte er seinen Wagen und ging auf das graue Auto zu.

Mit einer Handbewegung bat ihn die am Steuer sitzende, attraktive Frau, einzusteigen. Bing tat, wie ihm geheißen. Als er im Wagen saß, hatte er kaum einen Augenblick Zeit, sich das Erscheinungsbild seiner künftigen Frau einzuprägen. Sie trug ein graues Kostüm, das ihre offensichtlich schmale Figur vorteilhaft zur Geltung brachte. Von ihrem Gesicht sah er fast nichts, denn die Dame trug eine Federkappe, von der aus ein Schleier über das Gesicht hing. Bing wunderte sich ein wenig darüber, denn das entsprach nun wirklich nicht der Mode. Aber er dachte nicht weiter darüber nach, weil er zugeben mußte, daß die Verschleierung die Heiratskandidatin attraktiver machte. Schon reichte ihm die Schöne ihre Hand zur Begrüßung. Kräftig, wie er es als hart arbeitender Mensch gewohnt war, schlug Bing ein und drückte zu. Kaum spürte er den Stich an der Innenfläche seiner Hand. Doch unmittelbar danach, er war gerade dabei, die Wagentüre zu schließen, überfiel ihn eine Schwäche, Übelkeit stieg in ihm auf, und er merkte plötzlich, wie ihn die Dame an der Jacke packte und ihn zurück in den Wagen zerren wollte. Mit letzter Kraft stieß er die ihn festhaltende Hand zurück und ließ sich aus dem Wagen fallen. Als er auf dem Parkweg zusammensackte, hörte er noch, wie die Tür zugeschlagen wurde, der Motor aufheulte und der Wagen mit quietschenden Rädern davonraste. Wenig später fand ein Spaziergänger den Besinnungslosen. Er verständigte die Polizei, die Bing ins Krankenhaus brachte.

Dort erwies sich die Betäubung als ungefährlich. Bing wachte schon nach zwei Stunden wieder auf und konnte seine Erlebnisse zu Protokoll geben.

»Ein weiteres Stück fügt sich in unser Puzzle, Chief«, beendete Corner seinen Bericht.

»Jetzt wissen wir wenigstens, warum alle Opfer ohne Gegenwehr in den Tod gingen. Sie hatten nicht die geringste Chance. Während sie freudig die angebliche, reiche Heiratskandidatin begrüßten, erhielten sie die betäubende Dosis. Wahrscheinlich trägt die Dame einen Ring mit einem feinen Stachel, der auf Druck das Gift freigibt. Und so war es natürlich kein Kunststück, die Herren an einen abgelegenen Ort zu bringen, wo sie zuerst ihre Schecks ausschreiben durften und dann getötet wurden.«

»Aber warum ging Bing überhaupt zu diesem Treffen? Ich dachte, Sie haben alle Heiratskandidaten notiert und die Herren gewarnt? Weshalb hat Bing Sie nicht angerufen, als sich das Institut meldete?«

»Sir, wir konnten nur die Absender der Briefe erfassen, die nach dem 28. Mai geschrieben wurden. Erst seit dem darauffolgenden Samstag lief die Überwachung der Anzeigenabteilungen. Aber Bing hatte seine Bewerbung bei dem Eheinstitut schon am 20. Mai losgelassen. Er bekam den Anruf der Dame bereits am 24. Mai. Doch Bing mußte auf Geschäftsreise. Deshalb wurde damals das Rendezvous erst für heute, Donnerstag, vereinbart.«

Murrey schwieg eine Weile, offensichtlich überlegte er.

»Sollten wir jetzt nicht alle Besitzer von grauen Bentleys überprüfen?« fragte Murrey nach kurzem Überlegen.

»Nur in New York City oder im Staat New York oder in allen Bundesstaaten?« fragte Corner zurück. »Ich fürchte, diese ungeheure Arbeit, falls wir sie überhaupt bewältigen können, bringt uns nicht weiter. Und sie warnt den Mörder wahrscheinlich nur. Ich möchte aber, daß er sich bis Sonntag in Sicherheit wiegt.«

»Und was, wenn inzwischen ein weiterer Mord passiert?«

»Ich übernehme die Verantwortung, Sir.«

»Sie haben gut reden«, knurrte Murrey. »Meinen Kopf kostet es. Ich bin es schließlich, der abgelöst wird.«

»Wenn unsere Theorien richtig sind, dürfte bis Sonntag auch kein Mord mehr geplant sein. Heute abend war für diese Woche die letzte Gelegenheit. Sie wissen ja, Sir, bei der Bank könnte der Scheck eines Opfers nur noch morgen eingelöst werden. Und Bing, der für morgen als Melkkuh vorgesehen war, ist glücklicherweise noch einmal davongekommen.«

»Also gut«, stimmte Murrey endlich zu. »Warten wir auf Sonntag. Aber glücklich bin ich mit dieser Lösung nicht. Mich beunruhigt der Fall immer mehr. Vor allem, nachdem ich jetzt weiß, daß wirklich eine attraktive Frau mit im Spiele ist . . .«

22

Zur gleichen Zeit etwa, als dieses Telefongespräch zwischen Murrey und Corner stattfand, lag Ronnie Wals in ihrem blaßblau bezogenen Himmelbett und blätterte zerstreut in Illustrierten.

Die neuesten Sensationen aus aller Welt konnten sie nicht beeindrucken. Sie mußte immer wieder an Frank denken und an die erste Nacht, die sie mit ihm verbracht und die sie so voll genossen hatte. Drei Tage war das nun her. Frank hatte sich seitdem nicht mehr gemeldet. Natürlich hätte auch sie ihn anrufen können – aber er sollte nicht merken, wie sehr sie sich verliebt hatte. Wie sehr sie ihn brauchte. Alles würde sie geben, könnte sie sich ihm mit ihren Problemen anvertrauen. Nein. Sie mußte diese Sache aus eigener Kraft und allein hinter sich bringen. Wenn es nur schon Sonntag wäre. Von diesem Tag ab, das hatte sie sich geschworen, wollte sie frei sein, frei für Frank.

Sie legte sich zurück, schloß die Augen und dachte zurück an die Stunde, in der sie Frank Scoulder kennengelernt hatte. Es war eine merkwürdige Angelegenheit und wert, sich öfter daran zu erinnern.

Am 17. Mai war es gewesen – ja, Ronnie würde dieses Datum nie vergessen –, da fuhr sie mit ihrem Chevrolet nach Long Island. Sie war eine disziplinierte Autofahrerin, deshalb beachtete sie auch stets peinlich genau die Geschwindigkeitsvorschriften. Das rettete ihr das Leben. Denn kurz vor dem Ziel löste sich ihr rechter Vorderreifen. Ronnie konnte noch vermeiden, daß sie auf die Gegenfahrbahn geriet. Doch danach blieben all ihre verzweifelten Lenkversuche erfolglos. Der Wagen schlitterte über die Straße, holperte eine Böschung hinab und überschlug sich. Es wurde später nie geklärt, wie die Panne passieren konnte. Sie hatte den Wagen zwar kurz vorher beim Service gehabt, doch der alte Mechaniker schwor Stein und Bein, daß alle Schrauben festgezogen worden waren.

Als Ronnie wieder zu sich kam, lag sie in den Armen eines Mannes. Es war Frank. Er erklärte ihr, er sei kurz hinter ihr gefahren, habe den Unfall mit angesehen und sei ihr sofort zu Hilfe geeilt. Glücklicherweise sei sie angeschnallt gewesen, so daß er sie seines Erachtens ohne größere Verletzungen aus dem zertrümmerten Wagen habe befreien können.

»Genau untersucht habe ich Sie natürlich nicht«, hatte Frank noch lächelnd hinzugefügt.

Unmittelbar darauf traf die Polizei ein. Die Aufnahme dauerte fast eine Stunde, doch Frank blieb unbeirrt an Ronnies Seite. Als einer der Polizisten fragte, ob man Ronnie nach Hause fahren könne, sagte Frank wie selbstverständlich, daß er das schon übernommen habe. Und Ronnie protestierte nicht.

Doch während der Heimfahrt kehrte ihr Widerstandsgeist zurück. Sie war ihm dankbar, gewiß, und er war ein Mann, der ihr von seinem ganzen Wesen her gefährlich werden konnte – aber hatte er deswegen ein Recht, über sie wie über eine willenlose Puppe zu verfügen? Sie war Ronnie Wals, noch kein Mann hatte es je fertiggebracht, die Barrieren, die sie um sich aufgebaut hatte, so schnell zu durchbrechen. Auch diesem Mann da – neben ihr am Steuer – sollte das nicht gelingen.

Eine Ortschaft vor Paterson hieß sie ihn anzuhalten. Seinen Redeschwall, er würde sie doch direkt nach Hause fahren, und sie könne doch mit ihrem zerrissenen Kleid und ihren verwirrten Haaren nicht alleine auf der Straße bleiben, unterbrach sie, indem sie ohne eine Erwiderung ausstieg. Dann reichte sie ihm die Hand und sagte knapp: »Danke.«

»Danke, für alles«, fügte sie zögernd noch hinzu.

Frank hielt ihre Hand fest.

»Und wann sehen wir uns wieder?«

»Nie!«

Frank lachte: »Also dann am Samstag um acht Uhr in der Peacock Alley des Waldorf Astoria. Ich werde dort einen Tisch bestellen.«

»Umsonst.«

»Vielleicht.«

Er beugte sich zum Fenster hinaus. »Übrigens, ich heiße Frank Scoulder.«

»Das interessiert mich nicht.« Sie zeigte auf die Wolkenkratzer, die sich in der Ferne in den Himmel schoben.

»Nun fahren Sie schon nach New York. Good bye!«

»Auf Wiedersehen am Samstag. Um acht Uhr. Im Waldorf.«

Da war sie schon auf dem Wege zur Busstation und hatte ihm den Rücken zugewandt. Doch sie drehte sich sofort wieder um, als sie seinen Wagen abfahren hörte. Sie mußte ihm nachblicken – bis die Straße eine Kurve machte und sie den Chrysler aus ihrem Blickfeld verlor.

Ronnie drehte mit Hilfe des Dimmers das Schlafzimmerlicht etwas zurück. Die gedämpfte Beleuchtung ließ die inneren Kämpfe, die sie in den folgenden Tagen mit sich ausgefochten hatte, noch plastischer nachvollziehen. Sie war hin und her gerissen. Sollte sie Franks Einladung folgen? Doch ihr Stolz kämpfte dagegen an. Zu selbstsicher hatte Frank über sie verfügt. Zu siegessicher war er gewesen.

Der Samstagabend kam. Fünf Minuten nach acht Uhr betrat Ronnie die Peacock Alley. Und sie bemerkte, daß Frank, der sich so unwiderstehlich gebende Frank, ihr Kommen mit einem überraschten Lächeln quittierte. Von diesem Moment an wußte sie, daß es richtig gewesen war, ihn wiederzusehen. Ihr Stolz war nicht gedemütigt worden.

Sie hatten an diesem Abend noch getanzt – und waren sich dabei immer näher gekommen. Und Ronnie wehrte sich nicht, als Frank sie während eines Blues ganz zart küßte. Wie von selbst öffneten sich ihm ihre Lippen.

Ronnie seufzte. Bei all diesen Erinnerungen fühlte sie sich einsam in ihrem Bett. Wenn doch Frank hier wäre . . . Wo er sich wohl im Moment aufhält?

Erst jetzt kam ihr zu Bewußtsein, daß sie eigentlich sehr wenig von ihm wußte. Sicher, er hatte ihr erzählt, daß er Architekt sei und deshalb viel unterwegs sein müsse. Aber das war eigentlich auch schon alles. Nichts darüber, wo er aufgewachsen war, wer seine Eltern gewesen waren, ob er schon einmal verheiratet gewesen war . . .

Da läutete das Telefon.

»Darling«, sagte eine Stimme.

Seine Stimme! Ronnies Gesicht überzog ein Leuchten.

»Frank!« rief sie. »Frank! Wo bist du? Warum hast du drei Tage lang geschwiegen, Frank? Was ist denn? So sag doch was! Warst du auf Reisen? Ich habe mir solche Sorgen gemacht . . . Ich dachte schon, du seist mir böse . . . Frank, Darling . . . ich liebe dich ja so . . . Wo bist du denn? Soll ich kommen? In spätestens dreißig Minuten bin ich da!

Frank . . .«

»Welchen Tag haben wir heute?« fragte er, ohne auf ihr Angebot einzugehen.

Sie stutzte einen Augenblick: »Donnerstag, Frank.«

»Hast du nächste Woche Mittwoch Zeit?«

»Für dich, Frank, immer.« Und sie dachte daran, daß sie dann ja schon frei sein würde, frei für ihn.

»Dann komme am Mittwochabend zu mir. Aber nicht in meine Stadtwohnung. Ich werde in meinem Segelhaus, nahe bei Port Chester, sein. Ich sende dir mit der Post einen Plan. Du kannst das Haus nicht verfehlen. Ich habe dort in den nächsten Tagen zu tun und warte dann auf dich. Außerdem möchte ich, daß wir völlig ungestört sind. Ich habe dir viel zu sagen, Ronnie . . .«

»Ich dir auch, Frank.«

»Darauf freue ich mich, Ronnie. Bis Mittwoch also.«

»Bis Mittwoch, Frank.«

»Gute Nacht, Darling. Viele Küsse für dich.« Sie hörte ein leises Schmatzen.

Dann legte er auf, noch bevor sie ihm eine gute Nacht hatte wünschen können.

23

Der Sonntag war ein regnerischer Tag. In den frühen Mittagsstunden begann es zu tröpfeln, dann verstärkte es sich, und bald kam in langen, dünnen Fäden ein Regen herunter, der Melancholie zu Trübsinn werden läßt.

Die Menschen blieben zu Hause, nur die Vorortbusse waren besetzt. Die U-Bahn quoll von Fahrgästen über. In den Straßen New Yorks bildeten sich große Wasserlachen, und in den zahlreichen Parks waren die unbefestigten Spazierwege aufgeweicht wie zäher Kuchenteig.

Als Inspector Corner in einer Seitenstraße vor dem Mount-Morris-Park hielt, goß es in Strömen. Der Park lag verlassen unter einem schweren Himmel.

»Auch das noch«, sagte Bennols bloß und blickte in den Regen. »Wenn sie flüchtet, geht bei diesem Wetter jede Spur verloren! Es ist zum Kotzen, Chef.«

Auch Corner sah hinaus und rückte den Kragen seines Regenmantels hoch.

»Das Glück ist meist bei den Schlechten«, sagte er. »Das ist ein altes Lied, Stewart. Aber ich hoffe, daß es dieses Mal anders wird . . .«

Sie blickten auf die Uhr. Sie zeigte 19.40 Uhr an.

Bennols griff in seine ausgebeulte Manteltasche und schob Corner einen Revolver hinüber.

»Für alle Fälle, Chef«, sagte er stockend. »Ich habe das Magazin mit Stahlmantel- und mit Leuchtspurmunition geladen. Auf je zwei Stahlmäntel eine Leuchtspur!«

Corner klopfte Bennols auf die Schulter.

»Ich weiß, Sie meinen es gut, Stewart. Aber ich werde sie nicht brauchen.«

»Nehmen Sie sie trotzdem mit, Chef.«

»Okay, aber nur, damit Sie Ruhe geben!«

Inspector Corner öffnete die Wagentür und stieg aus. Der Regen peitschte ihm ins Gesicht.

»Sauwetter! Ich werde klatschnaß sein, wenn ich bei dem hellgrauen Wagen bin.«

Er gab Bennols die Hand und fühlte, wie sie zitterte. Er schüttelte den Kopf.

»Stewart, seien Sie vernünftig. Wenn Ihre Hand zittert, können Sie doch niemals treffen, wenn ich Sie brauche!«

»Es ist das erste Mal, Chef, daß Sie etwas ohne mich machen.«

»Es wird schon gutgehen, Bennols. Halten Sie mir nur den Rücken frei.«

Corner schlug die Wagentür zu und stand, sich umsehend, einen Augenblick unbeweglich im strömenden Regen. Dann ging er zum Park hinüber, den Kopf eingezogen, um das Gesicht vor dem Regen zu schützen und verschwand bald hinter den dichtbelaubten Hecken.

Bennols sah ihm nach, bis er ihn aus den Augen verlor, dann ließ er den Motor an und fuhr den Park entlang, bis er glaubte, ohne selbst gesehen zu werden, den schnellsten Zugang zum Treffpunkt zu haben. Dann kurbelte er beide Scheiben herunter und nahm seine Pistole in die Hand. Der Regen peitschte in den Wagen . . . er achtete nicht darauf. Er lauschte auf jedes Geräusch . . . und er wartete . . .

Henry Corner lief durch den Regen auf den vorderen Parkeingang zu. Er wollte sich dem Wagen von hinten nä-

hern. Noch eine Hecke . . . er schlich sich vornüberge-
beugt, so daß ihn die Hecken verdeckten, weiter. Sein
Mantel war durchnäßt. Der Anzug klebte an seinem Körper.

Noch eine Ecke . . . da war sie . . .

Als er um die Baumgruppe bog, sah er vor dem Parkeingang einen Wagen stehen.

Einen hellgrauen Wagen.

Henry Corner blieb stehen. Er atmete schwer. Das
Wasser rann ihm von der Hutkrempe in den Hals. Er
spürte es nicht.

Der hellgraue Bentley!

Darin mußte der Mörder sitzen!

Langsam kam Corner näher. Er hatte seine Haltung
verändert . . . er war jetzt Mario di Cardone, der reiche
Junggeselle, der gerne eine schöne Frau heiraten wollte
und jetzt auf ein nettes Abenteuer wartet.

Fluchend, wie es nur ein Italiener kann, schritt er auf den
dunklen Wagen zu. Als er vor dem Kühler stand, durchfuhr es Corner wie vom Blitz getroffen. Am Steuer saß
eine Frau. Die Frau mit der Federkappe und dem Schleier
über dem Gesicht. Und diese Frau lächelte ihm freundlich
zu und nickte.

In diesem Augenblick spürte er, wie er fror.

Während er an den Wagen herantrat, versuchte er, einen
Blick auf die hinteren Sitze zu werfen, denn dort, hinter
dieser lächelnden Madonna, konnte ein Komplize sitzen.
Sie mußte ja einen Helfer haben.

Aber der Fond war leer! Schon hatte ihm die Frau den
linken Wagenschlag geöffnet und ihn aufgefordert, einzu-

steigen.

Corner folgte – völlig ahnungslos tuend – ihrer Einladung. Doch er ließ die Türe offen, er behielt sogar noch den rechten Fuß außerhalb des Wagens. Die Frau am Steuer schien es nicht zu merken. Sie beugte sich etwas vor und hielt ihm ihre offene Hand hin.

»Guten Abend«, sagte sie. Ihre Stimme war dunkel.

»Guten Abend.« Wie bei Bing, dachte Corner. Die Hand mit dem Giftring, der betäubt. Sie hat den Stachel in ihrer hübschen Hand verborgen.

Er versuchte – so gut es eben im Sitzen ging – die Andeutung einer Verbeugung. Dann reichte er ihr seine rechte Hand. Er behielt dabei seine Handschuhe an, denn unter ihnen, auf der Handfläche, trug er eine dünne Leichtmetallplatte, die kein Stachel zu durchdringen vermochte. Ein wenig zögernd, wohl wegen dieses ungewöhnlichen Verhaltens, nahm die Dame die Hand entgegen und drückte sie. Dann zog sie sie zurück und sah Corner an, als warte sie auf etwas.

Du wirst enttäuscht sein, dachte Corner voll Schadenfreude, weil ihm diese Überraschung so gut gelungen war.

»Ich habe meinen Wagen um die Ecke stehen«, sagte er dann betont. »Wenn Sie vorausfahren, folge ich Ihnen, gnädige Frau. Wie hatten Sie sich den Ablauf des heutigen Abends vorgestellt?«

Die Dame am Steuer des hellgrauen Bentley blickte wie starr in das Gesicht Corners. Sie wird unsicher, dachte der Inspector . . . das hat sie bisher noch nicht erlebt. Der Stachel wirkt nicht . . . der Kavalier wird nicht besinnungslos und kann nicht weggefahren werden. Er lächelte.

»Sie wollten mich kennenlernen, Mr. Cardone?« Die dunkle Stimme vibrierte etwas . . . Erregung schwang in ihr, vielleicht auch Enttäuschung.

»Sie haben geschrieben . . .«

»Auf Chiffre B 10/54 an das Institut ›Die Ehe‹.«

»Ja.«

»Sie sind diese Chiffre B 10/54?«

»Nein, ich bin eine Klientin dieses Instituts.«

Lügnerin, urteilte Corner. Sein Lächeln wurde breiter. In aller Ruhe und ohne es zu verbergen, musterte er die Dame. Sie schien mittelgroß zu sein. Ein kostbarer Nerz umhüllte ihre Schultern. Sie trug ein hellbraunes Kostüm im strengen Herrenschnitt. Das Gesicht war leider nicht zu identifizieren, der Schleier ließ nur Konturen erkennen. Helle Haare hat sie jedenfalls, notierte Corner noch in seinem Gedächtnis. Den Bruchteil einer Sekunde hatte er nicht aufgepaßt.

Auf diesen Augenblick hatte die Frau jedenfalls gewartet. Blitzschnell zog sie die Beine an, zielte damit auf Corner und stieß den Inspector mit einer kräftigen Vorwärtsbewegung aus dem Wagen.

Noch im Fallen warf sich Corner auf seine linke Seite und versuchte, mit der rechten Hand an die Pistole zu kommen, die ihm Bennols – der gute Bennols – gegeben hatte.

Da heulte schon der Motor auf. Der Wagen setzte ruckartig zurück – und Corner entkam nur durch eine reflexartige Drehung den quergestellten Vorderrädern.

Corner hörte erneut die Kupplung – und wälzte sich

schnell in die schützende Hecke. Das war sein Glück, denn nun schoß der Wagen vorwärts. Er überfuhr die Stelle, an der Corner noch Sekundenbruchteile zuvor gelegen hatte.

Sie will mich überfahren ... dieses Aas, diese Canaille ... durchfuhr es den Inspector. Sie allein hat die Männer umgebracht ... jetzt weiß ich es ... keiner hat ihr geholfen ... keiner lauert im Hintergrund ... sie hat keine Helfer und keine Mitwisser ... sie allein ist der Mörder von fünf Männern! Und während diese Gedanken durch seinen Kopf jagten, schoß er auf die Reifen des hellgrauen Bentley.

Zwei Stahlmantel ... dann peitschte die Leuchtspur durch den Regen ...

Corner schoß weiter. Er jagte das ganze Magazin hinter dem Wagen her und wunderte sich, daß dieser weiterfuhr. Ich habe getroffen, sagte er sich. Ich war der beste Schütze des Lehrgangs. Ich habe die Räder getroffen und den Benzintank, und sie fährt weiter. Dieses mordende Weib ...

Er sah, auf den Knien liegend, wie der hellgraue Wagen in den Park hineinraste. Plötzlich fing er an zu schleudern. Die Hinterräder hüpften. Ich habe getroffen, schrie es in Corner, und ich habe in die Reifen getroffen. Sie fährt auf den Felgen ...

Er richtete sich auf. Naß, schmutzig, voller Erde.

Da kam schon Bennols gerannt – er lief keuchend, die Pistole in den Händen, wie ein Wahnsinniger durch den peitschenden Regen auf Corner zu.

»Chef!« schrie er.

Corner setzte sich auf eine Parkbank; er atmete schwer.

»Hier, Bennols.«

»Sie leben . . .« Bennols legte die Pistole weg und umarmte Corner. Dann erst wurde ihm das Ungewöhnliche seines Tuns bewußt, und er stand verlegen vor seinem Vorgesetzten.

»Haben Sie auch geschossen?«

Bennols nickte.

»Ich habe sie getroffen. Ich weiß es genau . . . aber der Wagen ist noch lange weitergefahren!«

Corner wischte sich den Schweiß und die Regennässe aus dem Gesicht.

»Und ich dachte, man hätte auch Sie im Wagen, sonst hätte ich noch höher gezielt . . .«

»Sie wollte mich überfahren, Stewart. Nur zehn Zentimeter fehlten noch.«

»So ein Aas! Wie sah sie aus?«

»Das ist es ja. Ihr Gesicht war nicht zu erkennen. Aber wir haben ja nun den Wagen. Sie kann nicht mehr weit gekommen sein. Ein zerschossener Bentley fällt auf. Sie fuhr außerdem schon auf den Felgen. Diesen Wagen müssen wir finden, Bennols. Er wird uns auf ihre Spur führen. Dieses Abenteuer war nicht umsonst.«

Doch Corner irrte.

Zwar entdeckte eine der alarmierten Polizeistreifen schon eine Stunde später den hellgrauen Bentley in einem abgelegenen Winkel des Central Parks. Aber die sofort eingeleiteten Untersuchungen ergaben, daß der Wagen schon vor zwei Monaten als gestohlen gemeldet war. Fingerabdrücke waren nicht festzustellen.

Diese Nachricht wirkte auf Corner und Bennols wie ein Keulenhieb. Wieder hatte sich eine Spur in nichts aufgelöst. Schweigend gingen sie ins Präsidium, den Gang entlang, um Murrey die Hiobsbotschaft zu beichten.

24

Am Dienstag erschienen die ersten Glossen in einigen Morgenblättern. Sie enthielten zwar noch verhaltene, aber doch unübersehbare Kritik an der offensichtlichen Unfähigkeit der Polizei. Murrey, der jeden Satz, der jedes Wort auf die Waagschale legte, wurde beim Lesen von Zeile zu Zeile wütender. Sein Adrenalinspiegel stieg.

»Blöde Artikel schreiben, das können sie, diese Schmierer. Eines von diesen Bürschchen möchte ich mal hier bei mir in der Mordkommission haben. Dem würde der Arsch auf Grundeis gehen. Dem würde ich mit Vergnügen die Hammelbeine langziehen.«

Corner lachte. Besser der Alte ist auf die Journalisten wütend, als auf uns, dachte er.

»Chief, hoffentlich erfüllt sich Ihr Wunsch nicht. Ich wage gar nicht daran zu denken, was passiert, wenn uns ständig ein solch aufgeblasener Knilch zwischen den Beinen herumläuft. Dann lösen wir überhaupt keinen Fall mehr.«

»Ob Sie später noch einen Mörder fangen, interessiert

mich im Moment wenig. Hauptsache, es gelingt Ihnen, jetzt bald einmal hinter das Geheimnis der Heiratsmorde zu kommen.«

»Chief, Sie wissen . . .«

»Ja, ich weiß, daß Sie Ihr Bestes tun. Soll ich jetzt mit der Platitüde kontern, daß das Beste manchmal nicht das Richtige ist?«

Murrey griff sich einen auf seinem Schreibtisch liegenden Ordner und fing an, darin zu blättern. Corner wußte, was das bedeutete. Der Alte hatte das Gespräch für beendet erklärt.

Den Nachmittag über war Corner mit Routinearbeiten beschäftigt. Denn wenn auch die fünf Mordfälle vorrangig waren, so blieben doch noch genügend andere Dinge, mit denen sich eine Mordkommission herumzuschlagen hatte. Da waren Ermittlungsergebnisse zu überprüfen, Anfragen auswärtiger Stellen zu beantworten, Vorgänge abzuschließen und vor allem – es waren Berichte über Berichte zu schreiben.

Gegen 19 Uhr erreichte Corner ein Anruf aus dem für den Ward's Island Park zuständigen Polizeirevier.

»Hier ist Sergeant O'Donnell, Sir. Aus den uns vorliegenden Meldungen geht hervor, daß Sie für alles zuständig sind, was mit diesem Heiratsinstitut zusammenhängt – ich meine mit den Morden.«

Corner bejahte.

»Wir haben hier nämlich einen Mann. Er ist vor etwa einer halben Stunde zu uns in die Wachstube getorkelt, mit einer blutenden Wunde am Hinterkopf. Er hat behauptet, er habe mit dem Institut ›Die Ehe‹ ein Treffen vereinbart. Dabei sei er niedergeschlagen worden.«

Corner fuhr wie elektrisiert hoch. Das war eine neue Variante. Hatte der Mann etwa das Bargeld bei sich getragen, und sollte er deswegen an Ort und Stelle ermordet werden?

»Wie heißt das Opfer?«

»Es ist ein Architekt. Frank Scoulder.«

»Ist der Mann vernehmungsfähig?«

»Unser Revierarzt hat ihm einen schönen Verband um den Kopf gelegt. Er meinte zwar, der Arme hätte sicher eine kleine Gehirnerschütterung – aber das haben wohl eh alle, die heiraten wollen.«

Sergeant O'Donnell fand seinen Witz wohl besonders gut. Denn er lachte so laut und schallend, daß Corner den Hörer von seinem Ohr nehmen mußte, sonst wäre ihm das Trommelfell geplatzt.

»Also, Sie können diesen Scoulder sofort zu mir bringen?«

»Wenn Sie das anordnen, Sir.«

»Ja«, sagte Corner im Befehlston. »Ich ordne das hiermit an.«

»Gut, Sir, wir sind in etwa 40 Minuten bei Ihnen.«

Mit Hilfe des Blaulichts schaffte Sergeant O'Donnell es schneller. Genau zweiunddreißig Minuten, nachdem Corner den Hörer aufgelegt hatte, stolperte der rothaarige Ire in sein Büro, im Schlepptau einen mitgenommen aussehenden Frank Scoulder. Hätte Ronnie ihn so gesehen, vergebens hätte sie in ihm den jungenhaft wirkenden Mann gesucht, der sie so bezaubert hatte.

»Hier wären wir, Sir«, sagte O'Donnell aufatmend und reichte Corner eine Mappe sowie das Fahrtenbuch zur Bestätigung. Als dieser unterzeichnet hatte, nahm es der Sergeant entgegen und meinte: »Dann kann ich ja wohl wieder gehen.« Man hörte seinem Tonfall an, daß er gerne bei der Einvernahme Scoulders dabeigewesen wäre. Doch Corner, der inzwischen Bennols gerufen hatte, wollte keinen weiteren Zuhörer.

»Ja, Sergeant. Sie können gehen. Ich danke Ihnen.«

Mit einem enttäuschten Gesicht verschwand der Ire aus dem Büro.

Corner wandte sich Frank Scoulder zu.

»Das ist Lieutenant Stewart Bennols«, stellte er vor. »Ich möchte, daß er an unserer Unterhaltung teilnimmt, weil er bisher in alle Ermittlungen eingeschaltet war. Sie sind nämlich nicht das einzige Opfer dieses angeblichen Heiratsinstituts. Vier Männer haben solche Rendezvous, wie Sie heute eines hatten, bereits mit dem Leben bezahlt. Wenn man es so betrachtet, sind Sie noch glimpflich davongekommen.«

Frank Scoulder wollte bekräftigend nicken, griff sich jedoch sofort schmerzgepeinigt an seinen Hinterkopf.

»So ganz harmlos scheint Ihre Verletzung ja nicht zu sein. Wir werden Sie deshalb auch nicht lange aufhalten. Erzählen Sie uns aber wenigstens das Wichtigste über Ihr so blutig verlaufenes Liebesabenteuer.«

»Sie haben gut lachen«, meinte Scoulder mit bitterer Miene. »Wer den Schaden hat . . . Nun gut, ich will versuchen, Ihre Neugier zu stillen. Also, ich sollte um 18 Uhr die mir telefonisch offerierte Dame etwa in der Mitte des Ward's Island Parks treffen. Den genaueren Ort habe ich bereits auf dem Revier beschrieben.«

Corner blätterte in den Papieren der Mappe, die ihm Sergeant O'Donnell mitgebracht hatte. Er nickte bestätigend, als er die Tatortskizze fand.

»Fahren Sie fort.«

»Ich war pünktlich um 18 Uhr zur Stelle und sah auch den hellgrauen Wagen . . .«

»Marke?« unterbrach Bennols.

»Ford – ein Cabriolet.«

Corner schien es, als sei die Antwort nicht spontan gekommen. Er konnte sich getäuscht haben. Denn wie aus seiner Miene unschwer zu erkennen war, schien die Wunde dem Architekten doch starke Schmerzen zu bereiten. Trotzdem gab er seinen Bericht mit kräftiger Stimme.

»Als ich auf den hellgrauen Ford zuging, sah ich tatsächlich eine wartende Dame am Steuer. Während des Gehens zündete ich mir noch eine Zigarette an. Ich war etwas nervös . . . wenn man solch ein ungewöhnliches Rendezvous vor sich hat . . . ich hatte nämlich noch nie auf eine Heiratsanzeige geschrieben.«

»Haben Sie es denn nötig?« fragte Corner. »Ich meine, wenn man so aussieht wie Sie! Ich könnte mir denken, daß die Frauen auf Sie fliegen.«

Scoulder lächelte geschmeichelt: »Natürlich habe ich keine so großen Schwierigkeiten. Und im Moment bin ich sogar, ja, wie soll ich sagen . . . etwas fester engagiert. Aber Sie wissen ja, wenn dann Aussicht besteht, daß man sich nicht nur verheiraten, sondern auch sanieren kann . . . unter uns Männern darf ich wohl die Dinge beim Namen nennen . . .«

Bennols sah angewidert zu Corner hin. Scoulder merkte sofort, daß er sich damit nicht in das vorteilhafteste Licht gesetzt hatte und bemühte sich, mit seiner Schilderung fortzufahren.

»Wo war ich stehengeblieben? Ach ja, bei der Zigarette. Ich wollte weiter auf den Wagen zugehen, da raschelte es plötzlich neben mir im Gebüsch. Ich glaube, noch einen Schatten bemerkt zu haben. Doch schon traf mich der Schlag. Ich muß wohl einige Zeit bewußtlos gewesen sein. Jedenfalls, als ich wieder zu mir kam, war ich allein auf weiter Flur. Kein Wagen mehr da, und von dem Schläger war natürlich auch nichts mehr zu sehen. Ich rannte dann aus dem Park heraus und fragte mich zu dem nächsten Polizeirevier durch. Dort erfuhr ich dann, daß ich noch Glück gehabt hatte, denn wäre ich wirklich in den Wagen gestiegen . . .«

Frank Scoulder wußte deutlich zu machen, daß ihm bei diesem Gedanken schauderte.

Corner billigte ihm eine Verschnaufpause zu. Dann fragte er, eher beiläufig:

»Hatten Sie denn Geld bei sich? Ist Ihnen etwas gestohlen worden?«

Frank Scoulder fuhr trotz seiner Schmerzen empor.

»Damned, das Geld. Ich hatte gar nicht mehr daran gedacht. Anscheinend sind meine Hirnfunktionen doch gestört . . .«

Er griff dabei in die Brusttasche seiner Jacke und zog seine Brieftasche hervor, die er öffnete und sie sofort Corner unter die Nase hielt.

»Sehen Sie her, es ist weg. Fünftausend Dollar sind verschwunden. Der Hund hat mich beraubt . . .«

»Woher wissen Sie denn, daß es ein Mann war?« erkundigte sich Bennols.

»Glauben Sie, eine Frau könnte so zuschlagen?« konterte Scoulder und zeigte dabei auf seinen Verband. »Wenn Sie wüßten, wie mir der Schädel brummt.«

»Sie können ja gleich gehen«, schaltete sich Corner ein. »Erzählen Sie uns aber vorher noch, weshalb Sie die fünftausend Dollar in der Tasche hatten. Oder tragen Sie immer so viel gebündeltes Bares mit sich herum?«

»Von wegen. Ich hatte das Geld ja erst heute morgen von meinem Sparbuch abgehoben.«

»Und warum?«

»Weil mich die Institutdame am Telefon so zweifelnd gefragt hatte, ob ich auch die finanziellen Voraussetzungen erfüllen könne. Natürlich habe ich das bejaht und von 35 000 Dollar gesprochen, die ich auf der Bank liegen habe, ganz zu schweigen von meinem Besitz am Port Island Sound. Aber um Ihnen gegenüber ehrlich zu sein: In Wirklichkeit kann ein junger Architekt keine Reichtümer sammeln. Die 5000 Dollar waren alles, was ich mir mit Mühe und Not zusammengespart habe, und der Besitz am Port Island Sound besteht aus einer gemieteten Segelhütte bei Port Chester. Und deshalb sagte ich mir: Wenn du mit dem Täubchen zum Essen gehst und dann beim Bezahlen deine Brieftasche zeigst, aus der die Hundertdollarnoten nur so herausquellen, dann wird sie deinen Wohlstand nicht mehr in Zweifel ziehen.«

»Aber einmal hätten Sie doch Farbe bekennen müssen.«

»Geld ist nicht alles, Sir«, belehrte Frank Scoulder den Inspector. »Wenn eine Frau erst mal einen richtigen Mann im Bett gehabt hat, fragt sie nicht mehr danach, ob das Konto stimmt. Und darauf hatte ich gebaut. Schließlich wollte ich eine reiche Frau kennenlernen.«

Ziemlich eingebildet, der Bursche, dachte sich Bennols.

»Wann haben Sie denn den Entschluß gefaßt, sich teuer zu verkaufen?« wollte Corner wissen.

»Das war mehr so ein spontaner Entschluß. Vor etwa zehn Tagen mag das gewesen sein . . . warten Sie, ich kann es Ihnen genau sagen . . .«

Scoulder griff in die rechte Brusttasche und holte einen schmalen Kalender hervor, in dem er blätterte.

». . . ich war nämlich an diesem Tag zu Hause, weil ich einen Kunden erwartete. Ja, hier, der 2. Juni war es, ein Mittwoch. Da fiel mir eine alte ›New York Times‹ vom 19. Mai in die Hände, die ich aus Langeweile noch einmal las – auch die Heiratsanzeigen. Ja, und da habe ich dann geschrieben. Auf eine Chiffre des Instituts ›Die Ehe‹.«

»Sofort?« Corner stellte diese Frage.

»Wie – sofort? Ach so, ob ich das noch am gleichen Tag getan habe? Natürlich. Solch einen Jux macht man spontan oder nie . . .«

»Jedenfalls ist es für Sie ein 5000-Dollar-Jux geworden.«

»Erinnern Sie mich bloß nicht daran.«

Frank Scoulder sah jetzt wirklich leidgeprüft aus. Als er den Kalender wieder einstecken wollte, hantierte er ungeschickt. Ein Bild fiel auf den Boden.

Blitzschnell bückte sich Bennols und hob es auf. Scoulder nahm es ihm sofort aus der Hand. Doch Bennols hatte schon genug gesehen.

»Eine wunderschöne Frau. Sie sind zu beneiden.«

»Ich sagte Ihnen ja schon, daß ich im Moment etwas engagiert bin«, antwortete Scoulder widerwillig. »Und das ist Ronnie. Ronnie Wals. Sie wohnt in Paterson.«

»Aber die Dame hat wohl nicht genug Geld?«

»Ich vermute eher, sie hat Schulden.« Scoulder wurde plötzlich ablehnend.

»Aber das sind wohl meine Privatangelegenheiten . . . über die ich Ihnen keine Rechenschaft abzulegen brauche.«

Eine Zeitlang sprach niemand.

Corner blätterte in der Mappe, die er vom Revier erhalten hatte. Plötzlich stutzte er.

»Davon haben Sie aber noch gar nichts erzählt«, wandte er sich an Scoulder und hielt einen kleinen Zettel hoch.

»Ich habe ihn völlig vergessen. Ist er denn so wichtig?«

»Und ob. Hier lesen Sie, Bennols.«

Bennols nahm den Zettel. Es war ein offensichtlich aus einem Notizblock gerissenes Papier im Format DIN A 6. Darauf stand mit Schreibmaschine geschrieben: »An die Polizei!«

»Ich habe Mr. Scoulder nur leben lassen, um Ihnen zu zeigen, daß ich kein Interesse mehr am Töten habe. Scoulder war mein letztes Opfer. Von heute ab wird es still sein. Sie können meine Akte beruhigt schließen. Verfolgen Sie mich nicht länger, sonst zwingen Sie mich, doch noch weiterzumorden. Chiffre B 10/54.«.

»Sie können meine Akten beruhigt schließen«, wiederholte Bennols noch einmal. »Der Mann hat Humor, Chef.«

»Und wo fanden Sie das?« wandte sich Corner an Scoulder.

»Hier in meiner rechten Jackentasche steckte der Zettel.«

»Steckt etwa noch etwas in Ihrer Jacke oder Hose – oder vermissen Sie vielleicht außer den 5000 Dollar noch etwas?« forschte Corner weiter.

»Nicht, daß ich wüßte.«

»Würde es Ihnen etwas ausmachen, daß Sie das in unserem Beisein genau überprüfen? Ich meine, ob Sie einmal alle Ihre Taschen ausleeren würden?«

»Muß das sein?« fragte Scoulder leicht irritiert.

»Natürlich können Sie sich weigern«, meinte Corner. »Denn Sie stehen ja nicht unter Verdacht. Aber Sie würden uns helfen, wenn Sie es täten – vielleicht ergibt sich noch ein Hinweis auf den Täter. Denn er hat ja Ihre Taschen durchwühlt.«

Scoulder schien das einzusehen, denn er begann seine Taschen auszuleeren und alles auf Corners Schreibtisch zu legen.

Auf einen Wink Corners hin begann Bennols die einzelnen Gegenstände zu notieren: eine Brieftasche, einen Kugelschreiber, einen Kamm, einen Kalender, einen Spiegel, drei Quarter Dollar und sechs Nickels, ein Taschentuch, eine halbleere Packung Lucky Strikes und ein Schlüsselbund.

Nachdem Scoulder noch einmal versichert hatte, daß außer den 5000 Dollar nichts fehlte, gab ihm Corner die Erlaubnis, alles wieder in seinen Taschen zu verstauen.

»Und wie sah die Dame aus?« setzte Corner seine Befragung fort.

»Wie soll ich das wissen? Ich kam ja nicht mehr nahe genug an sie ran.« Scoulder schien zu überlegen.

»Ich meine allerdings, daß sie schwarze Haare hatte. Doch beschwören kann ich es nicht.«

»So tiefschwarze Haare wie Miss Wals?« meinte Bennols.

»Mrs. Wals bitte – und überhaupt . . .« Scoulder schien wütend zu werden. »Was stellen Sie für Verbindungen her? Was hat mein Unfall mit Mrs. Wals zu tun? Werde ich hier verdächtigt? Oder hat sich Mrs. Wals etwas zuschulden kommen lassen? Ich will auch nicht, daß sie etwas von dieser Sache erfährt . . . Sie verstehen?«

»Keine Sorge, Mr. Scoulder«, begütigte Corner. »Wir werden Ihr Glück schon nicht zerstören. Ich will Sie jetzt auch nicht weiter in Anspruch nehmen. Angesichts Ihres Zustandes haben Sie uns schon viel zu lange Rede und Antwort gestanden. Jedenfalls haben Sie uns damit sehr geholfen. Das Protokoll wird Lieutenant Bennols aufnehmen und es Ihnen dann in den nächsten Tagen zur Unterschrift vorlegen. Sie sind doch in den nächsten Tagen erreichbar?«

»Eigentlich wollte ich mich beim Segeln auskurieren . . .« wandte Scoulder zögernd ein.

»Auch in . . . wo war das doch? . . . Port Chester werden Sie unterschreiben können. Lieutenant Bennols macht sicher gerne einen so angenehmen Ausflug. Geben Sie ihm nur Ihre Adresse.«

Corner bot Scoulder noch an, ihn mit einem Polizeiwagen in seine Wohnung bringen zu lassen. Mit dem entschuldigenden Hinweis auf seine Verletzung akzeptierte der Architekt.

Als sich die Tür hinter Scoulder geschlossen hatte, sahen sich Corner und Bennols eine Zeitlang schweigend an.

»Irgend etwas stimmt hier nicht«, sagte dann Corner plötzlich in die Stille. »Noch nie haben wir von zwei Tätern gehört. Dieser Überfall paßt nicht in das Bild der Heiratsmorde.«

»Denken Sie daran, Chef«, gab Bennols zu bedenken, »das war ein Sonderfall. Der Mörder oder das Mordteam wollte uns eine Nachricht zukommen lassen.«

». . . oder uns auf die falsche Spur hetzen. Nun, Bennols, ich bleibe dabei, diese Sache ist faul. Und ich fühle auch, daß in der Aussage dieses Scoulders die Lösung verborgen sein muß. Doch – verdammt – ich kann im Moment noch nicht sagen, wo ich konkret ansetzen soll.«

»Jedenfalls würde es dem Mörder passen, wenn Sie jetzt die Akten schlössen. Er hat ja genug verdient mit den Morden an Martin, Bertolli, Paddleton und White. Da kann er sich leicht zur Ruhe setzen.«

»Diese Ruhe werden wir ihm nicht gönnen. Denn dieser Zettel hier . . .« Corner hob nochmals das Papier mit der Nachricht der Chiffre B 10/54 hoch, »war vielleicht nicht sein erster, aber sein größter Fehler. Darauf wette ich mein Gehalt mit Ihnen, Bennols.«

»Na, soviel ist das ja auch wieder nicht, Chef«, lachte der Lieutenant, der sich an jedem Monatsletzten über die seines Erachtens wirklich miserable Bezahlung der Polizei ausließ. »Sagen Sie mir lieber, was Sie jetzt zu tun gedenken.«

»Mir bleibt nichts anderes übrig, als zu Chief Inspector Murrey zu gehen und ihm ein neues Rätsel zu präsentieren. Sie aber schnappen sich morgen Detective Margret Baldwin und sehen mal, was Sie in Paterson über diese Mrs. Wals erfahren können. Aber vorsichtig. Die Dame hat sich nichts zuschulden kommen lassen. Ich habe auch keinen Anhaltspunkt für Nachforschungen in dieser Richtung. Wahrscheinlich treibt mich nichts als Neugier.«

»Ist schon recht, Chef. Sie können sich auf mich verlassen. Vielen Dank übrigens, daß Sie mir Margret anvertrauen.«

Und schon war Bennols aus der Tür.

Corner schmunzelte und machte sich auf den Weg zu Murrey.

Als er dort seinen Bericht abgespult hatte, biß Murrey ärgerlicher denn je an seiner Zigarre herum.

»Der Mörder hält Sie zum Narren, Corner.«

»Ich glaube nicht, Sir. Jetzt weiß ich sicher, daß seine Zeit abgelaufen ist.«

»Und was macht Sie so sicher?«

»Ich will es Ihnen sagen, Sir: Weil der Mörder spürt, daß eine Spur richtig ist, die wir verfolgen. Welche Spur das ist, weiß ich selbst noch nicht. Aber eine ist es. Und er fühlte sich bedroht und versuchte nun, uns durch den Überfall auf Scoulder auf eine andere Fährte zu lenken, in der sich alle Spuren totlaufen. Oder er wollte sich damit ein Alibi schaffen, einen Beweis seiner Harmlosigkeit . . . wobei wir immer noch nicht wissen, ob wir es mit einem Mörder oder einer Mörderin zu tun haben.«

Murrey sah Corner an.

»Ich brauche den Mörder. Ob Mann oder Frau, das ist mir gleich!«

»Ich werde ihn Ihnen bringen«, sagte Corner fest.

Murrey starrte den Inspector an, und plötzlich wußte er, daß diese Worte nicht nur so dahingesprochen waren. Auch er glaubte plötzlich, daß Corner es tatsächlich schaffen wird.

»Lebend«, sagte er leise. »Lebend, Henry! Dieser Mensch soll seine Strafe erleiden.«

25

Die Mahnung Murreys, »lebend, lebend, Henry«, brannte in Corner.

In der folgenden halben Stunde saß er in seinem Büro und rollte in seinen Gedanken noch einmal den gesamten Fall der Heiratsmorde auf. Doch er fand keinen Anhaltspunkt, keinen Hinweis, der bisher übersehen worden war.

Und das Entmutigendste war: Es würde wohl auch künftig keine neuen Erkenntnisse aus den bisherigen Fällen geben. Die Untersuchungen im Zusammenhang mit Martin, Bertolli, Paddleton und White waren abgeschlossen. Der Tod Carltons konnte nur durch Vermutungen mit den Heiratsmorden in unmittelbare Verbindung gebracht werden. Auch im Klub der Sieben Strohhüte war nichts Weiteres zu erfahren, ja die überlebenden sechs Herren hatten ihrerseits ein bekanntes, privates Detektivbüro auf die Fährte des geheimnisvollen Mörders gesetzt und demjenigen 10000 Dollar versprochen, der Licht in das Dunkel brachte. Die Überprüfung des je nach Einzelfall mehr oder weniger ehrenhaften Vorlebens dieser Millionäre hatte lediglich die alte Erfahrung bestätigt, daß viel Geld stets ein warmer Mantel für eine ziemlich kalte Vergangenheit ist. Irgendwelche Verbindungen oder Interessen am Tode Martins waren dem Klub nicht nachweisbar.

Blieb nur noch Frank Scoulder.

In diesem Augenblick läutete das Telefon. Der wachhabende Polizist aus dem Revier, in welchem Carltons Wohnung lag, meldete sich.

»Inspector Corner?«

»Ja, was gibt's?«

»Sie haben Order gegeben, daß wir bei unseren Patrouillengängen stets das Polizeisiegel an Carltons Haustür überprüfen . . .«

Corner richtete sich aus seiner lässigen Haltung auf. Seine Gesichtszüge wirkten plötzlich gespannt.

»Und . . .? Reden Sie schon . . .!«

»Als Sergeant Temple um 21.10 Uhr das Siegel kontrollieren wollte, war es erbrochen.«

»Wann hatte vorher die letzte Überprüfung stattgefunden?«

»Ich sehe nach, Sir, einen Augenblick bitte . . .«

Corner konnte es kaum erwarten.

»Um 19.20 Uhr, Inspector. Wir haben unsere Patrouillengänge so eingeteilt, daß sie uns etwa alle zwei Stunden an Carltons Haus vorbeiführen.«

»Hat Sergeant Temple das Haus betreten?«

»Nein, Sir. Er hat auch sonst nichts Verdächtiges bemerkt.«

»Danke. Ich komme sofort.«

»Ich werde Sie erwarten, Inspector.«

Corner lief in Bennols Büro, doch er mußte feststellen, daß der Lieutenant das Präsidium schon verlassen hatte. Sofort setzte er einen Wagen in Fahrt, der Bennols daheim abholen und zu Carltons Haus bringen sollte.

Corner unterhielt sich noch mit dem Sergeant, der ihn am Gartentor erwartet hatte, als auch schon mit heulender Sirene der Wagen mit Bennols heranraste.

»Ich hoffe nur, der Fall wird bald gelöst, Sir«, sagte er beim Aussteigen. »Ich habe dann wieder endlich einmal ein Privatleben.«

»Zeit genug zum Ausschlafen, meinen Sie wohl«, entgegnete der Inspector und ging auf die Haustüre zu.

Das Siegel war tatsächlich erbrochen. Corner schloß die Haustüre auf und trat mit den zwei ihm folgenden Polizisten in den Flur.

Noch keine acht Tage waren seit dem Tode Carltons vergangen, und schon lag ein nicht zu übersehender Staubbelag auf den Möbeln. Corner beschloß im stillen, ab sofort seine Frau nicht mehr mit der Frage zu nerven, ob es denn wirklich nötig sei, in der Woche zweimal Staub zu wischen.

Der muffige Geruch nahm ihm fast den Atem.

Im Schlafzimmer Carltons blieb Corner plötzlich stehen und winkte Bennols heran.

»Sehen Sie sich das an«, sagte er verhalten. »Der Mörder war hier!«

In der Staubschicht, die den Nachttisch überzogen hatte, zeigten sich deutlich zwei Abdrücke. Sie waren nebeneinander plaziert und bewiesen damit, daß sich jemand auf den Nachttisch gestellt hatte.

»Zwei Schuhspuren«, sagte Bennols bestätigend. Dann sah er Corner an und fuhr – wie um Verzeihung bittend – fort: »Zwei weibliche Schuhabdrücke.«

»Damenschuhe, mit dünnen, hohen Absätzen.«

Sie traten an den Nachttisch heran und blickten die Wand empor. Dort hing ein chinesischer Gong, eine wertvolle Goldarbeit, die Carlton, der alles andere als ein Sammler war, wahrscheinlich von irgendeinem Schuldner einmal hatte pfänden lassen. Corner stellte sich auf die Zehenspitzen und schob den Gong mit der Hand zur Seite. Da sahen die drei, daß darunter ein kleiner Safe eingelassen war . . . ein Geldschrank in der dicken Wand.

»Sie hat etwas gesucht und gefunden«, meinte Corner. »In diesem Safe lag sicher der Schlüssel zu allen Morden! Darum mußte Carlton sterben, weil er am nächsten Tag bei Ihnen . . .« – er wandte sich zu Bennols um – »singen wollte. In diesem Safe befand sich das Geheimnis der tödlichen Heirat.«

Bennols wurde lebendig.

»Wir müssen den Safe untersuchen. Wo Fußspuren sind, sind auch Fingerabdrücke.«

»Hoffen Sie nicht darauf, Stewart. Die Dame ist gerissen. Ich wette, sie trug Handschuhe. Und daß die Fußabdrücke hier sind ... es sollte mich nicht wundern, wenn ...«

Er verließ den Schlafraum und ging zurück in das Wohnzimmer. Dort trat er an den offenen Kamin und rief dann den Lieutenant. Corner zeigte ihm verkohlte Lederteile, die neben Holzasche lagen.

Bennols zog die Unterlippe ein.

»Verbrannt«, sagte er. »Sie hat die Schuhe verbrannt. Und den Fußabdruck hat sie uns hinterlassen, wie zum Hohn!«

»So war es auch gemeint!«

»Immerhin werden unsere Spezialisten auch aus den verkohlten Teilen noch allerhand lesen können: Schuhgröße, Lederart ... Ein weiteres Beweisstück jedenfalls.«

»Beweisstück? Da wäre ich nicht so sicher, Bennols«, zweifelte Corner. »Diese Spur ist mir zu offensichtlich gelegt. Welchen Grund hätte die Mörderin haben sollen, hier ihre Schuhe zu verbrennen? Ist sie etwa auf Strümpfen außer Haus geschlichen? – Aber kümmern wir uns einmal um den Safe.«

Sie gingen zurück ins Schlafzimmer. Corner mit einem Stuhl in der Hand. Er stellte sich auf ihn, nahm den Gong von der Wand und zog an dem Safegriff. Die Tür gab sofort nach.

»Wie ich erwartet habe. Der Safe ist offen«, stellte Corner fest. Er zog die dicke Stahltür völlig auf und blickte hinein. »Und leer ist er auch. Nein, halt! Hier in der Ecke liegt ein Notenbündel.«

In diesem Augenblick splitterte die Scheibe des großen Fensters. Corner, der sich gerade Bennols zuwenden wollte, erhielt einen Schlag in die linke Schulter, ließ sich instinktiv vom Stuhl fallen und warf sich auf den Bettvorleger. Bennols und der Sergeant schienen den Bruchteil einer Sekunde zunächst nicht zu begreifen, was geschehen war – aber da erkannten sie die tödliche Gefahr und schmissen sich neben Corner auf den Boden.

»Ist etwas, Chef?« schrie Bennols.

Er kroch zu dem Inspector hin und sah, daß aus dessen Schulter Blut tropfte.

Corner verzog sein Gesicht.

»Ein Schuß in die linke Schulter. Zu hoch ... Der Schütze hatte gedacht, mich ins Herz zu treffen. Jetzt weiß ich auch, warum das Geld im Safe lag. Ich bildete dort eine gute Zielscheibe.«

Noch auf dem Boden liegend, zog Corner mit Bennols Hilfe seine Jacke aus und knöpfte sich das Hemd auf. Es war glücklicherweise nur ein Streifschuß. Aber er blutete stark.

»Streifschuß, Chef«, stellte Bennols sachlich fest. »Sie müssen sofort ins Krankenhaus.«

Corner ging auf diese Mahnung nicht ein. »Löschen Sie das Licht«, sagte er zu dem Lieutenant. Dann stützte er sich mit der rechten Hand auf und lugte über den Bettrand zu dem zerschossenen Fenster.

Die Gardine flatterte im Wind, der von draußen hereinwehte. Dahinter lag die Straße, still, verlassen ... Ab und zu fuhr ein Wagen vorbei.

Corner, der inzwischen auch sein Hemd ausgezogen hatte und es zu einem Bündel geknüllt vor die Wunde hielt, richtete sich unter Schmerzen auf, trat an das Fenster und blickte vorsichtig hinaus. Da Carltons Wohnung im Erdgeschoß lag, bereitete es keine Schwierigkeiten, von der Straße aus hineinzuschießen, zumal die Übergardinen nicht vor das Fenster gezogen waren und deshalb derjenige, der vor dem Safe stand, eine fast nicht zu verfehlende Zielscheibe gab.

»Sie hat in einem Wagen gesessen und mit einer Schalldämpferpistole in aller Ruhe geschossen. Ehe wir uns von der Überraschung erholen konnten, war sie schon wieder auf und davon. Ein kaltblütiges Mädchen, Bennols! Ganz, wie ich sie einschätzte, nachdem sie mich im Park ohne zu zögern überfahren wollte – aber jetzt holen Sie mir doch einmal das Geld aus dem Safe.«

Bennols tat, wie ihm geheißen, und reichte Corner das Bündel.

»Wenn Sie es zählen, werden es genau 5000 Dollar sein.«

»5000 Dollar?« Bennols war verblüfft. »Sie meinen, Chef, es sind die 5000 Dollar, die Scoulder abgenommen wurden?«

»Ich bin sicher. – Na, zählen Sie.«

Corner brauchte nicht lange zu warten, um die Bestätigung seiner Kombinationsgabe zu erfahren. Bennols hatte die fünfzig Scheine schnell überprüft.

»Immerhin tröstlich zu wissen, daß ich dem Mörder 5000 Dollar wert bin«, meinte Corner sarkastisch.

»Es ist eine Mörderin, Chef«, korrigierte Bennols.

»Ja, es scheint alles darauf hinzudeuten. Die Fußabdrücke auf dem Nachttisch, die verbrannten Schuhe im Kamin, und gerade das nährt meine Zweifel. Die Spuren sind mir zu deutlich. Sie wirken wie gelegt. Sie weisen zu direkt in eine Richtung . . .«

Ein plötzlicher Gedanke schien in ihm aufzukommen. »Bennols, lassen Sie sich die Nummer von Scoulder geben und verbinden Sie mich mit ihm.«

Bennols ging hinüber ins Arbeitszimmer. Schnell hatte er den gewünschten Anschluß und rief Corner.

»Mr. Scoulder? – Es wird Sie interessieren, daß Ihre 5000 Dollar wieder aufgetaucht sind. – Ja, wir haben sie hier in der Wohnung eines ermordeten Geldverleihers gefunden. – Mr. Scoulder, wo waren Sie in der letzten Stunde? – Sie haben sich sofort ins Bett gelegt?! Ein kluger Gedanke. – Ihre Hauswirtin hat sich um Sie gekümmert? – Nein, wir brauchen sie nicht als Zeugin. – Mr. Bennols wird Ihnen die 5000 Dollar aushändigen, wenn er Ihnen das Protokoll zur Unterschrift vorlegt. Ich hoffe, Sie können schlafen. Gute Nacht!«

Mit einem hörbaren Seufzer legte Corner auf.

»Es paßt alles zu sehr zusammen, Bennols. Da hinterläßt eine Mörderin nicht zu übersehende Spuren, und dort hat ein Beraubter, dessen 5000 Dollar in der Wohnung eines Ermordeten auftauchen, ein – wie bestelltes – Alibi.«

Statt einer Antwort wies Bennols auf das Hemd, das Corner noch immer auf die Wunde gepreßt hielt und das inzwischen völlig durchgeblutet war. Schon tropfte das Blut auf den Boden.

»Ja, es wird wohl Zeit, daß Sie mich in das Krankenhaus fahren, Bennols. Und Sie, Sergeant«, wandte er sich an den Revierbeamten, »bleiben hier, bis meine Leute von der Spurensicherung kommen.«

»Obwohl ich weiß, daß sie nichts finden werden!« setzte er nach einer Weile noch resigniert hinzu.

26

Obwohl Bennols aufgrund der überraschenden Entwicklung, die sich am vorangegangenen Abend in Carltons Wohnung ergeben hatte, eine nur karg bemessene Zeitspanne zum Schlafen gehabt hatte, stand er am Dienstagmorgen erstens schon sehr früh und zweitens gut gelaunt auf.

Sein erster Griff, nachdem er sich angezogen hatte, galt dem Telefon. Er wählte eine Nummer und grinste, als sich eine helle Frauenstimme meldete.

»Maggie? Hier ist der schöne Stew!«

Am anderen Ende der Leitung verkniff sich Margret Baldwin ein Lachen.

»Bennols?« fragte sie zurück. »Was verschafft mir die Ehre?«

»Der Chef will, daß wir endlich ein Paar werden, Maggie . . .«

»Das ist der dümmste Wunsch, den Corner äußern

konnte. Braucht ihr mich?«

»Ja. Wir arbeiten ab sofort zusammen, Maggie! Sie haben wirklich ein Glück! Wir haben einer jungen Dame etwas auf den Zahn zu fühlen. Das heißt, Sie sollen fühlen und ich passe auf, daß Ihnen nichts passiert.«

Nun lachte Margret wirklich.

»Stewart«, mahnte sie, »Sie sollten nicht am frühen Morgen schon Alkohol trinken.«

»Ihre Stimme macht mich betrunken, Maggie! Ihre Stimme, sie ersetzt mir den Alkohol. – Ach ja, und dann hat der Chef noch gesagt, daß Sie alles tun sollen, was ich Ihnen sage.«

»Seien Sie froh, daß Sie Lieutenant sind. Als Spaßvogel müßten Sie verhungern.«

Stewart hielt es für richtig, diese Bemerkung zu überhören. Er blickte auf seine Armbanduhr.

»Jetzt im Ernst, Maggie. Wann sind Sie abfahrbereit?«

»In einer Viertelstunde. Schnell genug?«

»Viel zu langsam, angesichts des furchtbaren Gedankens, daß ich Sie erst dann wiedersehe . . .«

Lachend hängte Margret Baldwin ein.

Bennols aber stand vor dem Spiegel und kämmte sich. Sein oberer Hemdkragen war etwas angeschmutzt. Das fiel ihm jetzt auf. Also wechselte er das Hemd. Danach hatte er höchste Eile. Er schwang sich in seinen Wagen und fuhr los. Margret Baldwin stand schon vor ihrer Haustür und wartete. Sicher ist sicher, hatte sie gedacht – so einen ausgeschlafenen jungen Löwen darf man nicht in abgeschlossenen vier Wänden gegenübertreten.

Während der Fahrt nach Paterson erklärte Bennols seiner Mitfahrerin, was er über Ronnie Wals erfahren hatte. Denn noch in der Nacht waren von der Polizeistation in Paterson Unterlagen und Auskünfte angefordert worden.

»Diese Mrs. Ronnie Wals«, meinte Bennols sinnend – »keiner weiß, wo sie herkommt, woher sie das Geld hat, wie sie diesen Besitz erhalten konnte. Das sollen Sie alles herausbekommen, Maggie. Sie haben da ein besonders kluges Köpfchen . . . darum schickte der Chef Sie ins Rennen.«

Und dann berichtete der Lieutenant noch von der älteren Gesellschaftsdame, die Ronnie Wals betreute.

»Im Dorf ist sie beliebt«, schloß er seinen Bericht, »vor allem, weil sie in Hülle und Fülle ihre Rosen verschenkt. Miss Ready, so heißt das bejahrte Mädchen, soll nämlich eine famose Rosenzüchterin sein.«

Danach begann Bennols wieder, ungeniert Süßholz zu raspeln.

Zwei Stunden später standen sie vor dem Gut und sahen hinüber zu der weißen Villa hinter der Pappelallee. Margret Baldwin, eine Spiegelreflexkamera umgehängt, weil sie sich als Journalistin ausgeben wollte, spitzte die Lippen und pfiff leise vor sich hin, was Bennols als besonders süß und neckisch empfand. Er starrte so begeistert auf die gespitzten Lippen, daß Margret sie schnell wieder zurückzog.

»Schade!« murmelte Bennols.

»Ein schöner Besitz«, meinte Margret Baldwin. »Und er gehört dieser jungen Dame?«

»Ja, Maggie. So etwas kann ich Ihnen natürlich nicht zu Füßen legen . . .«

Aber Margret Baldwin hatte schon alle privaten Gedanken ausgeschaltet. Sie war jetzt nur noch auf ihre Aufgabe fixiert.

»Dann werden wir uns mal trennen. Ich übernehme Mrs. Wals, und Sie stöbern etwas auf dem Gut bei den Arbeitern herum. Und wenn wir uns begegnen sollten, so kenne ich Sie einfach nicht. Also bis später . . . Bye, bye . . .«

»Küßchen, Süße.«

»Sie können wohl nie ernsthaft sein?«

Bennols sah Margret nach, die über den staubigen Weg auf die weiße Villa zuging. Ihr Körper wippte auf den hohen, schlanken Beinen. Bennols seufzte. Dann schlenderte er hinüber zu dem Gut und sah einem Mann zu, der aus einem Stall Mist auf einen großen Haufen warf.

»Schöner Misthaufen«, sagte Bennols nach einer Weile und tippte an seinen Hut.

»Scheint ein guter Hof zu sein . . .«

»Wieso?« Der Knecht legte die Gabel hin und sah den Fremden kritisch an.

Bennols nickte freundlich.

»Ist doch 'ne alte Bauernweisheit, Mann: Je größer der Misthaufen, um so reicher der Bauer . . .«

Und der Knecht lachte laut, während Bennols nähertrat und ihm eine Zigarette anbot . . .

Margret Baldwin stand vor dem Haupteingang der Villa. Als sie an der mit einer schönen Schmiedearbeit verzierten Tür klingelte, öffnete sich nur ein kleines Sichtfenster in der schweren Eichentür, und das Gesicht einer älteren Dame erschien in dem Viereck.

Offensichtlich Miss Ready, kombinierte Margret.

»Sie wünschen?«

»Kann ich die Besitzerin dieses wunderschönen Parks sprechen?«

Das alte Fräulein schüttelte den Kopf.

»Mrs. Wals ist nicht zu Hause«, antwortete sie. Ihre Stimme klang freundlich. »Sie müssen noch einmal wiederkommen . . .«

Margrets Gesicht wurde trübe und lang. Das war der erste Fehlschlag. Aber sofort hatte sie sich wieder in der Gewalt. Vielleicht war es ja auch ein Glücksfall. Vielleicht war von dieser netten, anscheinend schon etwas hinfälligen Miss Ready noch leichter etwas zu erfahren, als das von Mrs. Wals der Fall gewesen wäre. Was hatte doch Bennols gesagt? Miss Ready wäre eine große Rosenzüchterin?!

»Wie schade. Ich komme wegen der Rosen . . .«

Die Augen des Fräuleins blitzten interessiert auf.

»Rosen?« sagte sie gedehnt. »Wieso Rosen?«

»Ich bin von der staatlichen Gartenbau-Kommission«, log Margret Baldwin weiter. Dabei befürchtete sie, daß es gar keine staatliche Gartenbau-Kommission gab, aber sie sagte es so überzeugend, daß das alte Fräulein zunächst ein wenig sprachlos und verwirrt war. Aber sie öffnete die Tür immer noch nicht, und ihrem Gesicht war anzumerken, daß sie sie auch nicht öffnen würde, wenn Präsident Eisenhower auf der Treppe gestanden hätte.

»Was wollen Sie hier?« fragte das Fräulein nach einer Weile.

»Ich bin beauftragt worden, den Rosengarten des Hauses zu fotografieren. Farbig zu fotografieren. Bei einer demnächst in New York stattfindenden Gartenausstellung sollen die Fotos der schönsten Privat-Rosengärten gezeigt werden.«

»Das ist sehr schön. Aber ohne die Erlaubnis von Mrs. Wals darf ich keinen in das Haus und in den Garten lassen.«

»Heute ist der letzte Termin, die Bilder zu machen. Ich hatte so viele Aufträge, daß ich erst jetzt nach Paterson kommen konnte.«

Margret sah das Fräulein ein wenig traurig an.

»Und der Rosengarten von Mrs. Wals hat sich herumgesprochen. Sehr schade, wenn wir auf der Ausstellung gerade auf ihn verzichten müßten.«

Margret trat näher und nickte dem Fräulein ermutigend zu.

»Es ist bestimmt auch im Sinne von Mrs. Wals . . .«

»Glauben Sie?« Der Gesellschafterin war anzusehen, wie sie innerlich schwankte.

»Ich würde Mrs. Wals doch gerne erst fragen. Aber sie kommt erst gegen Abend zurück.«

»Dann ist es schon zu spät. Ich muß die Rosen fotografieren, wenn die Sonne auf sie fällt.«

Margret trat noch näher an die Tür und stand jetzt direkt vor dem Klappfenster, dem Gesicht des ältlichen Fräuleins gegenüber.

Miss Ready schnupperte plötzlich. »Sie haben aber ein wohlriechendes Parfüm!« urteilte sie dann anerkennend. »Sicher aus Paris.«

»Ja.«

Margret war über diese Frage so erstaunt, daß ihr nichts anderes einfiel als dieses »Ja«. Parfüm. Sie interessiert sich für Parfüm.

»Es ist Orsay in Paris.«

»Orsay?« das Fräulein lachte wehmütig.

»Früher, als ich noch jung war, hatte ich immer Lentherique. L'Amour des Roses, hieß es – Liebe der Rosen . . . ein schöner Name, nicht wahr?«

Rosen, dachte Margret, auch das Parfüm hatte etwas mit Rosen zu tun. Es mußte ein Komplex des Fräuleins sein, daß alles, was mit Rosen zusammenhing, gut sei.

»Auch mein Parfüm hat einen schönen Namen!« log Margret munter weiter.

»Es heißt ›La Rose dormante‹ . . . die schlafende Rose.«

»Wie schön!«

Das Fräulein verschwand einen Augenblick hinter dem Klappfenster, im Schloß knarrte ein Schlüssel, dann hörte man das Rascheln der Sicherheitskette . . . Langsam öffnete sich die Tür.

Besiegt, durchfuhr es Margret. Sie läßt mich herein. Der Bann ist gebrochen. Und wenn ich erst im Haus bin, erfahre ich alles, was Inspector Corner wissen will.

Margret Baldwin trat in die Diele der Villa. Es war ein großer, mit Teppichen ausgelegter Raum, von dem eine geschwungene, geschnitzte Eichentreppe in das obere

Stockwerk führte. Ein großer, hellbrauner Konzertflügel stand neben den zwei breiten Fenstertüren, die hinaus auf eine Terrasse führten, von der wieder Stufen in den Garten gingen. Die Wände, halbhoch getäfelt, waren mit alten Bildern und wertvollen Stichen geschmückt. Ein großer, persischer Gebetsteppich hing an der Wand, die sich zum ersten Stockwerk hinaufzog.

Von der großen Diele gingen sechs hohe Türen in andere Räume ab. Es war ein großes Haus. Größer, als es von außen aus zu schätzen war. Dieses Haus bewohnte Mrs. Wals allein mit der Gesellschafterin.

Margret legte ihre Tasche auf einen runden Rauchtisch und nickte dem ältlichen Fräulein zu.

»Sehr schön hier. So gepflegt und sauber. Sicher haben Sie viele Hausmädchen.«

»Gar keins. Das mache ich alles allein! Ein bißchen Staubwischen oder mit dem Staubsauger über die Teppiche . . . das ist ja nicht viel. Mrs. Wals ist sehr rücksichtsvoll. Sie läßt nichts herumliegen.«

»Ich heiße Margret Baldwin«, sagte die Beamtin schnell.

Sie überrumpelte damit die ältliche Dame, die antwortete: »Ich heiße Elizabeth Ready. Ich bin die Gesellschafterin von Mrs. Wals.«

»Mrs. Ready?«

»Oh, nein. Ich war nie verheiratet. Sind Sie . . .?«

»Ebenfalls nicht«, sagte Margret. »Das Leben kann auch ohne Ehemann sehr schön sein.«

Miss Ready drohte lächelnd mit dem Finger. Margret kramte aus ihrer Tasche einen Fotoapparat hervor und sah sich um.

»Darf ich den Rosengarten fotografieren?«

Elizabeth Ready zögerte etwas.

»Ich kann wirklich nicht sagen, ob es Mrs. Wals recht ist.«

»Nur für eine Ausstellung. Vielleicht bekommt Mrs. Wals sogar einen Preis. Dann sind Sie die Heldin des Tages, da Sie es mir erlaubt haben . . .«

Elizabeth nickte endlich zustimmend.

»Gut. Machen Sie aber bitte schnell, Miss Baldwin.«

Als Miss Ready auf die Fenstertüre zuging, die auf die Terrasse und hinaus in den Garten führte, achtete Margret darauf, daß sie ein paar Schritte hinter der Gesellschafterin bleiben konnte . . .

Im Rosengarten angekommen, stieß Margret Rufe des Entzückens aus, die sogar aus ehrlicher Überzeugung kamen. Die Anlage war wirklich ein Schmuckstück.

»Und das hat Mrs. Wals alles allein gezüchtet?« fragte sie zweifelnd, weil sie ja wußte, daß sie nun dem Stolz von Miss Ready neue Nahrung liefern würde. Die Gesellschafterin tat verschämt.

»Wenn ich in aller Bescheidenheit sagen darf, Miss Baldwin, der Rosengarten ist mein Werk.«

»Und dazu haben Sie noch neben Ihren anderen Aufgaben Zeit? Ich könnte mir vorstellen, daß allein schon Gesellschafterin zu sein, ein anstrengender Beruf ist.«

»Bei Mrs. Wals nicht. Mrs. Wals beansprucht mich nicht sehr. Ich habe viel Zeit, mich um meine Rosen zu kümmern.«

Margret tat verständnisvoll. »Dann lebt Mrs. Wals wohl

sehr zurückgezogen?«

»Sie ist sehr einsam und menschenscheu. Sie lebt nur für ihr Gut.« Margret drehte sich um.

»Und sie lebt gut, wie man sieht. Das Gut rentiert sich, was?«

»Jetzt ja.«

»Jetzt?« Margret bekam wache Ohren. »War das früher nicht so?«

Das alte Fräulein seufzte.

»Vor einem halben Jahr sah es aus, als müßten wir das Gut und alles hier verkaufen. Mrs. Wals hat sich Geld geliehen, um es zu modernisieren . . . es war nicht mehr konkurrenzfähig! Heute geht ja alles mit Maschinen, mit riesigen Wunderwerken. Und da kam nun dieser Geldverleiher und wollte plötzlich das Geld zurück! Mit den ganzen Zinsen! Und wir konnten es nicht bezahlen.«

Das muß Carlton gewesen sein, dachte Margret. Das sieht dem Kerl ähnlich. Erst leiht er, dann dreht er den Hahn zu und hinterher gehört ihm der ganze Besitz!

»Und dann kam dieser Geldverleiher und wollte das Gut?« fragte sie naiv.

»Ja. Es gäbe keinen Vertrag über den Termin der Rückzahlung, das hat er gesagt. Der Betrag sei fällig, wenn er es wollte! Mrs. Wals kannte sich ja nicht aus in diesen Geschäften. Keiner hatte sie beraten . . . wir haben viele Nächte geweint . . . Das schöne Gut! Die weiße Villa, der Rosengarten, alles sollte dieser dicke, schreckliche Mensch bekommen!«

»Und dann hatte Mrs. Wals auf einmal Geld?«

Miss Ready hatte keine Einwände.

Das alte Fräulein nickte.

»Ja. Sie erinnerte sich, daß in Los Angeles ein Onkel von ihr wohnt, ein entfernter Onkel nur, der Bruder ihres Stiefvaters. Zu dem fuhr sie hin, um ihn zu bitten, ihr das Geld zu geben.«

»Und der Onkel gab es ihr?«

»Er hat in Los Angeles ein großes Versicherungsbüro. Mrs. Wals kam wieder und konnte dem Geldverleiher wenigstens die Hälfte des Geldes zurückzahlen. Die andere Hälfte wäre kurz vor Weihnachten fällig, sagte er.«

Das alte Fräulein sah wieder auf die Blumen. »Carlton hieß er. Und nun ist er tot. Vielleicht haben Sie es gelesen. Wir haben – es ist unchristlich, so etwas zu sagen, aber er war ein böser Mensch – wir haben direkt aufgeatmet . . .«

Margret wollte das Vertrauen der alten Dame nicht weiter strapazieren und fing eifrig an, zu fotografieren.

Als sie ihre Kamera wieder in der Fototasche verstaut hatte, nahm sie eine herausstechend schöne Rose in die Hand. Ihre rosa Blätter waren mit einem leicht silbrigen Schimmer bedeckt, der innen ins Goldartige überging.

»Diese Sorte scheint mir besonders wertvoll. Habe ich recht?«

»Sie haben Geschmack, Miss Baldwin. Es ist eine Michele Meilland. Eine Teehybride, die der geniale Rosenkenner Meilland 1945 gezüchtet und nach seiner Tochter Michele benannt hat.«

»Den Namen muß ich mir aufschreiben, Miss Ready«, äußerte Margret begeistert und griff nach ihrem Notizblock. »Würden Sie wohl so nett sein, einen Moment meine Fototasche zu halten?«

Gegen 17 Uhr kamen Bennols und Margret in das Präsidium zurück. Sie hörten, daß Corner trotz seiner Verletzung in aller Herrgottsfrühe im Büro aufgetaucht sei. Sofort eilten sie zu ihm und berichteten.

Bennols Erkenntnisse waren mager. Außer einigen unanständigen Witzen, die er von dem Knecht gehört hatte, gab es nicht viel zu erzählen. Auf dem Gut war alles in Ordnung. Die Wirtschaft rentierte sich, man baute viel Gemüse an, das man nach New York in die Großmarkthalle brachte. Auch eine Schweinezucht hatte das Gut . . . man hielt dort Magertiere, die in die Konservenfabriken New Yorks wanderten.

Im übrigen lebte man auf dem Gut völlig abgeschnitten von der Villa, man wußte nichts von einem drohenden Verkauf und von notwendigen Krediten. Zwar hatte man ab und zu einen Wagen in den Innenhof fahren sehen, aber darum kümmerte man sich nicht.

Mit mehr Interesse hörte Corner da schon Margret Baldwin. Sehr geschickt hat sie das gemacht, dachte der Inspector anerkennend, als Margret Baldwin schilderte, mit welchem Trick sie in das Haus gekommen war.

Als Margret auf die Schulden und den Geldverleiher zu sprechen kam, stutzte Corner. Seltsam – man hatte Carltons Haus und Büro genau durchsucht und viele Hinweise auf die anrüchigen Geschäfte des Wucherers gefunden. Aber auf den Namen Ronnie Wals war man nicht gestoßen.

Wie hoch war die Summe gewesen, die Carlton, dieser Erzgauner, in das Gut gesteckt hatte? Wieviel Geld hatte der Onkel in Los Angeles vorgestreckt? Wie hieß dieser

Onkel? Und war es nicht merkwürdig, daß Mrs. Wals sowohl Carlton als auch Scoulder kannte, zwei Opfer des Heiratsmörders? Diese Verklammerung verwickelte Mrs. Wals automatisch in den Fall der Chiffre B 10/54. Zu ihr führte die erste offensichtlich heiße Spur – von dem toten Carlton einmal abgesehen –, und sie war eine Frau. War sie die Mörderin?

Corner war so in seine Gedanken versunken, daß er es fast nicht bemerkt hätte, als ihm Margret mit spitzen Fingern ein Marmorei hinhielt.

»Hier, lassen Sie es untersuchen. Es sind zwar auch meine Fingerabdrücke mit darauf, aber auch auf jeden Fall die der netten Miss Ready. Sie hatte das Ei zurechtgerückt, als wir in der Diele standen, und ich ließ es dann mitgehen, als sie vor mir her auf die Terrasse ging. Und hier . . . doppelt genäht hält besser«, sie zeigte auf ihre volle Tasche, »sind noch einmal die Fingerabdrücke der Dame. Glattes Leder, Inspector Corner. Da haben die Daktyloskopen ihre helle Freude. Das dürften wahre Prachtstücke von Abdrücken sein.«

»Sie sind ein Teufelsmädel«, lobte der überraschte Corner. »Es liegt gegen diese Miss Ready zwar nichts vor . . . aber Vorsicht ist ja bekanntlich die Mutter der Porzellankiste.«

27

Am nächsten Morgen kam Bennols endlich wieder zu seiner Schreibtischarbeit. Das Protokoll der Aussagen von Frank Scoulder hob er sich dabei als abschließende Tätigkeit auf. Erstens, so entschuldigte er sein Verhalten vor sich selbst, sei dies ja eine geistig sehr anstrengende Tätigkeit, und zu solcher sei er als schöpferisch tätiger Mensch nie vor elf Uhr in der Lage. Zweitens hätte er dann wirklich Anlaß, sich gleich darauf ein gutes Mittagessen in Gesellschaft von Margret Baldwin schmecken zu lassen. Sie hatte ihn nicht abgewiesen, als er ihr gestern abend den Vorschlag unterbreitete, was ihn sehr ermutigte. Überhaupt, so sinnierte er und kaute an seinem Kugelschreiber, sei man sich gestern unleugbar nähergekommen. Während der Rückfahrt hatte er sogar einmal seine linke Hand auf Maggies Knie gelegt, und sie hatte diese dort einige Minuten gelassen. Wer, wie er, Margret Baldwins sonst sehr kühle und spontan abweisende Art kannte und mehrmals erlitten hatte, wußte solches Verhalten zu schätzen.

So lächelte Stewart Bennols direkt glücklich, als er endlich den leeren Bogen in die Maschine spannte, auf den er gleich Scoulders Hinweise tippen wollte. Es war inzwischen 11.30 Uhr geworden. In einer Stunde sollte er Margret wiedersehen. Dieser Gedanke beflügelte ihn – und in weniger als dreißig Minuten hatte er auch die Schilderung des Überfalles auf Scoulder zu Papier gebracht. Nachdem er seine Darstellung noch einmal überflogen hatte, sauste er ins Zimmer von Henry Corner.

»Hier, Chef, das Scoulder-Protokoll. Wäre mir angenehm, wenn Sie es lesen würden, bevor ich es dem Hirngeschädigten zur Unterschrift vorlege. Ich glaube zwar nicht, daß ich etwas übersehen habe, aber doppelt genäht hält besser.«

Corner nickte und nahm die Niederschrift entgegen. Schnell wollte sich Bennols wieder entfernen.

»Halt, bleiben Sie hier, Stewart«, rief der Inspector. »Ich werde Ihre Fleißarbeit sofort lesen. Bleiben Sie so lange hier. Vielleicht gibt es noch etwas zu besprechen.«

Bennols fluchte innerlich und wagte einen heimlichen Blick auf seine Uhr. 12.06 Uhr. Hoffentlich liest Corner schnell, dachte er verzweifelt und ließ sich in den Stuhl vor Corners Schreibtisch fallen.

Doch der Inspector bemühte sich überhaupt nicht. Penibel, als hätte er die wichtigste Sache der Welt vor sich, las Corner Satz für Satz. Ja, manchmal ging er, wie Bennols an der Augenrichtung beobachten konnte, ganze Absätze wieder zurück und studierte sie nochmals.

Erneut blickte Stewart verstohlen auf die Uhr. 12.18 Uhr. Stewart durchlitt Folterqualen. Das erste Rendezvous – und er würde zu spät kommen. Ob er Corner sagen sollte, was er ihm antat? Bennols verwarf den Gedanken sofort wieder. Die spöttische Miene des Inspectors und dessen ironische Bemerkungen wollte er lieber nicht riskieren.

Da sprang Corner plötzlich wie von der Tarantel gestochen auf.

»Bennols, ist Ihnen beim Tippen dieses Berichtes nichts aufgefallen?«

Der Lieutenant starrte seinen Chef, dessen Gesicht vor Aufregung plötzlich rot angelaufen war, verblüfft an und schüttelte sprachlos den Kopf.

»Natürlich, das war es. Ich wußte, daß in der Aussage Scoulders die Lösung verborgen sein mußte. Immer wieder bin ich in Gedanken die Einzelheiten durchgegangen. Aber erst jetzt, als ich alles geschrieben vor mir hatte, erkannte ich die Zusammenhänge . . . und dabei wäre es doch so einfach gewesen . . . der Mörder hat uns die Beweise präsentiert, und wir haben sie nicht gesehen, Bennols . . . ich Idiot . . . ich muß sofort Scoulder und diese Mrs. Wals sprechen. Rufen Sie an, Stewart, aber schnell.«

Bennols verdrängte alle seine sehnsüchtigen Gedanken an Margret Baldwin und griff zum Hörer. Corner sprach weiterhin mit sich selbst: »Es paßt alles zusammen . . . die teilweise verbrannten Schuhe . . . die fünftausend Dollar . . . die schwarzen Haare . . . das Bild . . . der Hinweis auf Carlton . . . die plötzlich bezahlten Schulden . . . Donnerwetter, Bennols, was brauchen Sie so lange?«

»Tut mir leid, Chef. Mrs. Wals ist, wie mir diese Miss Ready sagte, zu einem Ausflug weggefahren, und bei Scoulder meldet sich niemand.«

»Scoulder ist nicht da . . .?«

»Scoulder wollte doch an den Long Island Sound und sich in seinem Bootshaus auskurieren . . .«

»Mensch, Stewart . . . dann nichts wie auf nach Port Chester! Ein Mord ist nämlich noch fällig. Sie haben doch die Adresse von Scoulder. Ich hoffe nur, wir kommen noch nicht zu spät . . .«

In diesem Moment wurde die Tür aufgerissen, und

Captain Pesk stürmte, ein Fernschreiben schwenkend, herein.

»Das ist die Bombe des Jahres. Soeben vom FBI eingetroffen. Sie werden Augen machen, Corner. Wer sich hinter der angeblichen Gesellschaftsdame von Mrs. Wals verbirgt . . .«

Corner überflog die Nachricht und erbleichte.

»Bennols, Sie werden sich an den Fall nicht mehr erinnern. 1934 wurde in Connecticut eine gewisse Linda Jalstin zum Tode durch den elektrischen Stuhl verurteilt. Die Gerichtsreporter verliehen ihr den Namen: ›Die Spinne‹, weil sich während des Prozesses erwies, daß sie wohlhabende Männer wie eine Spinne in ihrem Netz fing und sie tödlich umgarnte. Tödlich, meine ich wörtlich. Jedenfalls konnten ihr vier Morde nachgewiesen werden, wahrscheinlich waren es mehr. Die Herren starben auf medizinische Weise – natürlich jeweils erst, nachdem sie die schöne Linda als ihre Erbin eingesetzt hatten. ›Die Spinne‹, die damals Theater spielte, hatte eine Ausbildung als Krankenschwester hinter sich, und deshalb ließ sie sich jedesmal eine andere, einschlägige Tötungsart einfallen. Mal spritzte sie Luft in die Venen, was zu tödlichen Embolien führte, mal wandte sie das Pfeilgift Curare an – kurz, es war gar nicht so einfach, sie zu überführen.

Während des Prozesses stellte sich dann heraus, daß sie sich in anderen Umständen befand. Das bewahrte sie vor der sofortigen Hinrichtung. Wahrscheinlich hing es auch mit ihrem Zustand zusammen, daß sie im Zuchthaus nicht mehr so sorgsam bewacht wurde. Jedenfalls konnte sie fliehen und wurde seitdem nie wieder gesehen. Man vermutete, sie sei ins Ausland gegangen. Und dann kam ja der Krieg. Nach ’45 muß sie eine Möglichkeit gefunden haben, nach Amerika zurückzukehren. Denn wie die Fingerabdrücke, die wir Miss Baldwin zu verdanken haben, beweisen, ist die liebe, nette, harmlos erscheinende Miss Elizabeth Ready niemand anderer als die vierfache Mörderin Linda Jalstin.«

Bennols stand wie vom Schlag getroffen. Daß sich das Geheimnis der Heiratsmorde so überraschend löste, hätte er nie gedacht. Miss Elizabeth Ready – sie war Schauspielerin gewesen. Kein Wunder, daß sie ihr Aussehen, ihr Alter, ihre Art, ihre Stimme so perfekt verwandeln konnte. Ihr bereitete die Verwendung von Perücken und der Umgang mit Schminke und falschen Wimpern keine Schwierigkeiten. Und sie hatte auch das medizinische Grundwissen, um einen Mord, wie den an Martin, planen und ausführen zu können. Außerdem wußte sie als kundige Krankenschwester auch über die Eigenschaften von Drogen Bescheid.

Corners Stimme riß ihn aus seinen Kombinationen.

»Daß sich diese Miss Ready so allein und seelenruhig in Paterson aufhält, bestärkt mich noch mehr in der Gewißheit, daß der letzte Mord unmittelbar bevorsteht. Lassen Sie uns also keine Zeit verlieren. Sie, Pesk, fahren mit Detective Baldwin nach Paterson. Besorgen Sie sich einen Hausdurchsuchungsbefehl und stülpen Sie in der Villa alles um. Ich glaube allerdings, Sie brauchen nach den Beweisen gar nicht so sehr zu suchen. Und vor allem: Lassen Sie diese Miss Ready, alias Miss Jalstin, nicht noch einmal entwischen.«

Bennols zögerte, sollte er jetzt . . .?

»Inspector«, sagte er dann schnell, »falls Sie Miss Baldwin suchen – sie sitzt wahrscheinlich im Palm Court des Plaza Hotels und wartet auf mich.«

Danach harrte er tapfer auf die spöttischen Kommentare. Doch sie blieben aus.

Corner hatte offensichtlich wirklich Angst vor einem neuen Mord.

28

Um ein Uhr würde er sie zum Lunch erwarten. So hatte Frank auf den Lageplan geschrieben, den er Ronnie, wie angekündigt, mit der Post zugesandt hatte.

Trotzdem war sie schon um 9 Uhr von Paterson weggefahren. Sie wußte, es war der Tag der Entscheidung, und sie wollte sich darauf vorbereiten.

So fuhr sie gemächlich über das Land und dachte nach. Ab morgen früh würde sie ein neues Leben beginnen. Alles, was sie in den letzten Wochen belastet hatte, würde dann hinter ihr liegen. Sie wollte es vergessen – die Zäsur mußte gelingen. So, wie es nun geworden war, hatte sie es von Anfang an gewiß nicht gewollt. Doch nun durfte das ihre Zukunft nicht belasten. Es gab keine Schulden mehr . . . sie würde das Gut verkaufen . . . von nun an konnte sie sorglos leben.

Und Frank? Sie lächelte, als sie an Frank dachte. An den Mann, der ihren Körper zum erstenmal richtig besessen hatte. Der Mann, zu dem sie jetzt fuhr – und der nichts von ihrer Vergangenheit ahnte.

Sein Lageplan war ausgezeichnet. Man spürte den Architekten. Ronnie hatte keine Mühe, die Bootshütte zu finden.

Eine Minute nach ein Uhr trat sie in den einzigen Raum, den die Hütte hatte. Die Türe war offen, so konnte sie Frank überraschen.

Er sprang auf. Sie umschlang ihn mit ihren Armen.

Es schien ihr, als habe er sie gar nicht küssen wollen. Doch die Glut ihrer Lippen löste auch die seinen. Lustvoll versenkte sich ihre Zunge tief in seinen Gaumen.

Wenn er mich doch gleich nähme – dachte sie, während sie sich an ihn preßte. Hier, sofort hier auf dem Boden, auf dem harten Holzboden . . .

Doch Frank schien die Verlockung und die Aufforderung, die sie in ihre Küsse legte, nicht zu merken. Er löste ihre Hände von seinem Nacken und schob Ronnie von sich.

»Was ist, Darling . . .?«

Frank Scoulder war an einen Schrank getreten. Er öffnete eine Tür und nahm etwas heraus.

Als er sich zu Ronnie umdrehte, sah diese in ein kaltes, entschlossenes Gesicht.

»Frank, du . . . ich bin hierhergekommen, weil ich mit dir ein neues Leben beginnen wollte . . .«

»Soll ich mit einer Mörderin zusammenleben?«

Nun sah Ronnie auch, was Frank aus dem Schrank genommen hatte. In seiner rechten Hand blinkte plötzlich eine kleine Pistole auf.

»Frank, ich eine Mörderin? Nimm die Pistole weg!« flehte sie plötzlich in wilder Angst.

»Ja, du bist die Mörderin von Ernest Carlton. Mit dieser Pistole wurde er getötet. Mit dieser Pistole wurde auch auf Inspector Corner geschossen, als er vorgestern Carltons Wohnung durchsuchte. Eine schöne, perlmuttbesetzte Damenpistole . . .«

Frank hielt Ronnie die Waffe hin.

»Erkennst du sie wieder?«

»Ja, es ist meine Pistole. Sie liegt immer in meinem Nachttisch. Woher hast du sie?«

»Genügt es im Moment nicht, daß ich sie habe? Und sie wird auch deine Fingerabdrücke aufweisen, wenn ich dich in Notwehr mit dieser Pistole erschieße, damit du das Geheimnis der Chiffre B 10/54 für immer mit in deinen Tod nimmst.«

»Chiffre B 10/54 . . .?«

»Ach, die Nummer ist dir unbekannt? Aber du kennst doch die Namen Martin, Bertolli, Paddleton und White. Vier heiratslustige Herren in den besten Verhältnissen, die alle sterben mußten, nachdem sie sich mit einer jungen Dame getroffen hatten . . .«

»Frank . . .« schrie Ronnie auf, sie ahnte plötzlich, daß sie ihr Spiel verloren hatte.

»Woher weißt du, wer hat dir verraten, daß ich die Frau in dem grauen Wagen war? Aber ich schwöre dir, daß . . .«

»Was schwörst du?« unterbrach Frank sie roh. ». . . daß

nicht du es warst, die die Herren um ihr Geld erleichtert und umgebracht hat?«

»Frank, Darling«, Ronnie saß jetzt tränenüberströmt auf einem Stuhl. »Ich hatte keine Ahnung, ich wollte es nicht tun, aber da waren diese Schulden – und da war Carlton . . .«

Leise fuhr sie fort: »Du wirst es nie verstehen, was mir das Gut bedeutete.«

»Du hast es für Geld getan . . .«

»Ja, weil ich das Geld brauchte, um das Gut zu retten. Für mich war das Gut alles. Bis du kamst. Für dich wollte ich selbst das Gut verkaufen, weil ich glaubte, an deiner Seite würde ich ein neues Leben beginnen, da würde ich vergessen können, was war . . . Die Hölle meiner Ehe . . .«

»Du rührst mich fast zu Tränen . . .« In Franks Augen stand der blanke Hohn.

Ronnie sprang mit blitzenden Augen auf, so daß er sofort wieder die Pistole auf sie richtete und zur Wand zurückwich.

»Du Schuft«, gellte ihre Stimme durch den kleinen Raum. »Ich habe wirklich die Hölle durchlitten. Mein Mann war ein Schwein – er vergewaltigte mich mit 16 Jahren. Ich wurde seine Geliebte . . . mit 19 heiratete er mich . . . woher er sein Geld nahm, wußte ich nicht. Erst als er starb, entdeckte ich es. Er erpreßte reiche Männer, die einen dunklen Punkt in ihrem Leben hatten. Oft schuf er ihn selbst, indem er ehemalige Freundinnen von sich an sie vermittelte. Mich ekelte das alles an . . . ich nahm das Erbe und zog nach New York. Hier lebte ich ein Jahr in

Bronx, bis ich das Gut und die Villa billig kaufen konnte. Ich wollte anständig werden, aber das Gut war zu sehr belastet. Es fraß mein Geld, ich verstand nichts von der Landwirtschaft. Carlton lieh mir Geld, um mich dann zu erpressen. Ich konnte mir ausrechnen, wann ich vor dem Ruin stand. Was mir dann blieb, wußte ich: die Straße! Ich habe nichts gelernt, ich hatte nichts getan, als zu leben . . . da kam Elizabeth und sagte mir, ich könne schnell viel Geld verdienen, wenn ich mich mit heiratswilligen Männern treffen wollte . . .«

». . . die dann das Rendezvous mit dir nicht lange überlebten.«

»Das wollte ich nicht. Man hatte mir gesagt, man wolle die Herren nur etwas betäuben und dann um ihre Barschaft erleichtern. Daß sie getötet wurden, erfuhr ich erst, als Carlton mir von Paddleton berichtete. Da wollte ich aussteigen, ich weigerte mich, weiter mitzumachen. Aber durch Elizabeth ließ man mir ausrichten, ich könne nicht mehr zurück. Man würde ansonsten die Polizei verständigen . . . und dann gab es ja auch dich – du durftest nichts erfahren . . .«

Frank lachte auf.

»Ich . . . ich . . . sollte nichts erfahren?«

»Mit dir wollte ich das alles vergessen. Ich habe so lange Widerstand geleistet, bis man mir sagen ließ, man werde sich nach einem neuen Lockvogel umsehen. Seit Sonntag bin ich frei. Dieser di Cardone sollte mein letzter Kunde werden. Leider ging etwas schief. Aber trotzdem, Darling, es ist vorüber. Ich liebe dich, Frank . . . wir haben Geld, die Welt steht uns offen . . .«

»Du wirst diesen Raum nicht lebend verlassen . . .«

Einen Augenblick lang stand Ronnie wie versteinert. Dann blickte sie in Franks Augen und wußte plötzlich, daß er seine Worte ernst meinte.

Mit einem Satz wollte sie zur offenen Türe springen und ins Freie flüchten.

Doch Frank versperrte ihr den Weg. Mit der Pistole trieb er sie ins Innere des Raumes zurück. Er selbst blieb, mit dem Rücken zur Türe gewandt, stehen. An ein Entkommen war jetzt nicht mehr zu denken.

Todesfurcht stieg in Ronnie hoch.

»Frank, was habe ich dir getan . . .?«

»Du bist die Heiratsmörderin . . .«

»Frank, du redest irre. Ich war es nicht. Ich weiß auch nicht, wer es getan hat. Vielleicht weiß es Elizabeth . . .«

»Elizabeth . . . soll ich dir eine Geschichte erzählen? Es war einmal eine schöne Frau. Die Männer konnten es gar nicht erwarten, sie als ihre Erbin einzusetzen. Das Pech war nur, daß sie allesamt kurz darauf starben. Eines Tages aber kam man der ›Spinne‹ – so nannte man sie später – doch auf die Schliche. Sie sollte auf den elektrischen Stuhl geschickt werden, doch sie hatte es so eingerichtet, daß sie just zu diesem Zeitpunkt in anderen Umständen war. Ein Aufseher hatte ihr selbstlos dazu verholfen. Die Hinrichtung mußte verschoben werden. Und das nutzte die kluge Frau, um aus dem Gefängnis zu verschwinden. Sie lebte dann fast 30 Jahre lang unbescholten – wie man das wohl so nennt. Doch eines Tages kam sie auf eine Idee. Sie wollte wieder die Heiratslust der Männer ausnutzen. So entstand das Institut ›Die Ehe‹. Der Gedanke war ebenso simpel wie einträglich. Vermögende Herren schrieben auf eine Chiffreanzeige und erhielten dann einen Anruf, der sie zu einem Treffpunkt bestellte. Dort wurden sie von dir erwartet, Ronnie . . .«

Fassungslos hatte die Angesprochene bis hierher zugehört. »Woher weißt du das?« schrie sie plötzlich auf. Doch dann schien sie zu begreifen.

»Du bist ein Detektiv. Du hast mich benutzt, du hast mir nachspioniert . . . Du willst mich verraten.«

Sie wollte ihn anspringen, doch er warf sie auf den Boden.

»Laß mich weitererzählen«, herrschte er sie an. »Oder ist es keine schöne Geschichte? Du hast deine Kunden betäubt und bist dann mit ihnen zu einem verabredeten Ort gefahren. Dort war deine Aufgabe beendet. Du konntest den Wagen verlassen. Was weiter passierte, hast du dir wohl nie klargemacht. Ich will es dir sagen. Die Herren wurden weiterbehandelt. Sie bekamen Drogen. Sie taten dann alles, was man von ihnen verlangte. Sie sagten bereitwillig ihr Bankkonto und schrieben Schecks aus. Diese Schecks wurden eingelöst, und dann waren die Opfer überflüssig. Sie wurden ermordet . . .«

»Und das alles hat sich diese Frau ausgedacht?«

»Ja – und damit du es genau weißt – diese Frau ist Elizabeth Ready.«

»Elizabeth . . . Meine Elizabeth?«

»Ja, deine sogenannte Gesellschaftsdame, die dir angeblich immer die Befehle übermittelt hat.« Frank grinste Ronnie an.

»Und sie hat es auch getan . . . diese Morde, meine

ich . . .«

»Nein, die Mörderin warst du . . .«

Ronnies Augen waren weit aufgerissen. »Du irrst, Frank . . .«

»Oh, nein. Ich weiß genau, wovon ich spreche. Und ich müßte mich sehr täuschen, wenn nicht inzwischen auch die Polizei auf deine Spur gekommen wäre. Denn Elizabeth Ready hat das perfekte Verbrechen geplant. Es dürfen keine Zeugen bleiben. Die Polizei weiß von deinen Schulden bei Carlton, sie weiß, daß du plötzlich zu Geld gekommen bist. In Carltons Wohnung ist ein so sorgfältig verbrannter Schuh gefunden worden, daß man ihn noch einwandfrei als einen von dir identifizieren kann, von der Pistole habe ich dir schon erzählt . . . ja, und dann kommen noch die Perücken und Schminksachen, die man in deiner Villa entdecken wird . . . Mrs. Ronnie Wals war die Heiratsmörderin, wird man sagen – und die Akten schließen.«

»Und Elizabeth?«

»Du hast sie doch als Erbin eingesetzt.« Frank lachte spöttisch. »Jetzt, wo das Gut wieder schuldenfrei ist – denn ein Schuldschein wurde bei Carlton ja nie gefunden –, wird sie es gut verkaufen können. Und das schöne, neue Leben, das du mit mir beginnen wolltest, wird sich jetzt Elizabeth leisten . . . mit mir.«

»Mit dir?« Sie sah ihn erstaunt an. »Du bist kein Detektiv?«

»Nein, ich bin kein Detektiv. Ich bin auch nicht von der Polizei. Ich bin Elizabeths Sohn. Ich habe ihr geholfen, habe die Opfer befördert, das Geld abgehoben – und gemordet.«

Ronnie sank in sich zusammen.

»Die Geschichte ist noch nicht zu Ende. Ich werde dir nämlich noch sagen, was du jetzt tust. Du bist mit dieser Pistole hergekommen, um mich zu erschießen. Ich habe der Polizei nämlich ein gut erfundenes Rendezvous zwischen uns geschildert. Ich gab an, das letzte Opfer des Instituts ›Die Ehe‹ zu sein, ein Opfer, das man nur beraubt und niedergeschlagen hat. Aber ich ließ durchblicken, daß ich die Dame in dem Wagen eventuell an ihren schwarzen Haaren wiedererkennen würde. Und dann fiel mir doch wie zufällig ein Bild von dir aus der Brieftasche, das Bild einer Frau mit schwarzen Haaren. Ich mußte widerwillig zugeben, mit dir bekannt zu sein. Was nun, wird die Polizei folgern, wenn die Dame in dem Wagen und die Freundin wirklich identisch sind? Dann muß die Dame einen Zeugen beseitigen, der ihr gefährlich werden könnte. Und deshalb bist du heute hier erschienen. Du warst die Dame und du willst mich töten. Doch ich kann dir die Pistole entwinden – in der Notwehr löst sich versehentlich ein Schuß, der dich tödlich trifft. Ein Geständnis wird es nicht geben . . .«

»Hände hoch, Scoulder, werfen Sie die Waffe weg!«

Als Frank herumfuhr, sah er Corner in der Tür stehen, seine Pistole zielte genau auf Scoulders Herz. Hinter dem Inspector stand Bennols, auch dessen Waffe hatte Scoulder als Zielscheibe.

Scoulder erkannte, daß er sein Spiel verloren hatte. Die perlmuttbesetzte Pistole fiel aus seiner Hand.

Während Corner und Bennols auf den plötzlich gebrochen wirkenden Scoulder zugingen, warf sich Ronnie Wals mit einem Aufschrei nach vorne auf den Boden, riß die kleine Pistole an sich, setzte die Mündung an ihre Schläfe und drückte ab. Mit einem leisen Stöhnen rollte sie zur Seite.

Jetzt erst begriffen Corner und Bennols, was geschehen war. Doch jede Hilfe kam zu spät. Ronnie Wals war tot.

»Dafür können Sie zwar nicht verurteilt werden, aber Mrs. Wals ist Ihr sechstes Opfer«, sagte Corner grimmig zu Scoulder.

Frank hatte sich inzwischen wieder gefangen.

»Was wollen Sie von mir«, herrschte er Bennols an, als dieser ihm die Handschellen anlegte.

»Sie hat mich bedroht, sie wollte mich beseitigen . . . Ich hatte ihr gerade die Waffe entwunden . . .«

»Sparen Sie sich Ihre Worte für den Prozeß auf«, unterbrach Corner barsch. »Sie werden viel reden müssen, um die Geschworenen von Ihrer Unschuld zu überzeugen. Und ich befürchte, Sie werden es nicht schaffen, denn Sie haben Lieutenant Bennols und mir soeben das ausführlichste Geständnis geliefert, das man sich denken kann . . .«

Und Bennols fügte verschämt hinzu: »Stellen Sie sich vor, wir waren so unerzogen und haben gelauscht . . . ja, mein Lieber. Wer das perfekte Verbrechen begehen will, sollte niemals seine Tür offen lassen.«

29

Als Corner und Bennols ins Präsidium zurückkamen, lag auf dem Schreibtisch des Inspectors schon die Niederschrift eines telefonischen Berichtes aus Paterson. Captain Pesk und Margret Baldwin hatten in der Villa Perücken und Schminkutensilien in einem Ausmaß gefunden, daß der Maskenbildner eines großen Opernhauses damit die Premieren mehrerer Jahre hätte ausrichten können.

Außerdem hatte ein Gutsarbeiter ausgesagt, er habe in einem nicht gebrauchten Stall mehrmals einen grauen Wagen stehen sehen; seiner Beschreibung nach sei es der Bentley gewesen. All dieses Beweismaterial, meinten Pesk und Margret noch, sei offensichtlich für sie hergerichtet gewesen.

»Es war teuflisch eingefädelt«, kommentierte Corner. »Alle Spuren führten zu Ronnie Wals. Jeder Beweis hätte sie belastet – und beinahe wäre die tödliche Rechnung dieser Elizabeth Ready ja auch aufgegangen.«

»Ich hätte dabei sein mögen, als sie erfuhr, daß man ihr Spiel und ihre Person durchschaut hat«, sagte Bennols, der die Mitteilung ebenfalls überflogen hatte.

»Wie Pesk hier schildert, hatten er und Margret sich das bis zum Schluß aufgehoben. Die Ready wäre Margret am liebsten an die Gurgel gesprungen, als diese ihr erzählte, auf welche Weise sie ihr freiwillig ihre Fingerabdrücke geliefert hatte«, fügte er noch hinzu, und in seiner Stimme schien etwas Besitzerstolz mitzuschwingen.

Corner wollte schon eine ironische Bemerkung loslassen, da stürmte Chief Inspector Murrey ins Zimmer.

»Gratuliere, Corner, das ist ja ein toller Fischzug. Ich will Sie gleich der Presse präsentieren – endlich können wir diesen Schmierern das Maul stopfen! Na, ich werde denen was erzählen. Die sollen mich die letzten Wochen hindurch nicht umsonst geärgert haben.«

Corner lachte. Er konnte sich vorstellen, wie Murrey losdonnern würde. Schließlich war es nicht das erste Mal, daß er so eine Vorstellung erlebte. Immer, wenn ein Fall erfolgreich abgeschlossen war, ließ Murrey seiner Abneigung gegen die ihm überflüssig erscheinende Neugier der Presseleute freien Lauf. Das war seine Rache für die vielen zerbissenen Zigarren.

Bennols hatte auf Corners Schreibtisch das Protokoll der Aussage von Scoulder entdeckt und es nochmals kopfschüttelnd gelesen. Mit dem Papier in der Hand trat er zu seinem Chef.

»Bevor Sie der Chief Inspector entführt, müssen Sie mir noch eines verraten: Was in dieser Schilderung gab Ihnen die Gewißheit, daß Scoulder an der Sache beteiligt ist?«

Corner setzte sich.

»Sie wissen ja, daß ich schon so ein merkwürdiges Gefühl hatte, als uns Scoulder seine Geschichte auftischte. Plötzlich schien alles auf Mrs. Wals hinzudeuten. Scoulder erwähnte ihre Schulden. Und dann fiel ihm noch das Bild aus dem Kalender. Überlegen Sie: Fotos bewahrt man gewöhnlich in der Brieftasche auf. Scoulder war sich aber nicht sicher, ob er uns seine Brieftasche werde präsentieren können. Den Kalender brauchte er sicher, um uns das Datum zu nennen – das wußte er. Deshalb mußte das Foto in den Kalender, um uns auf die Spur von Ronnie Wals zu setzen. Die schwarzen Haare . . . Sie werden sich erinnern. Weiter machte mich stutzig, daß uns Scoulder, ohne auch nur einen Moment zu überlegen, sagen konnte, daß die ›New York Times‹ vom 19. Mai gewesen sei. Aber all das waren keine sicheren Anhaltspunkte. Die Beweise entdeckte ich erst in Ihrem Protokoll. Zwei Punkte verschafften mir die Gewißheit, daß Scoulder gelogen hatte, daß das Rendezvous erfunden war.«

Murrey hatte aufgehört, durch das Büro zu wandern, und Bennols stand starr wie ein Denkmal.

»Scoulder hatte erzählt, er habe sich beim Zugehen auf den Wagen eine Zigarette angezündet, aber als er seine Taschen ausleerte, hat sich darin weder ein Feuerzeug befunden noch waren Streichhölzer zu entdecken.«

»Donnerwetter, Chef«, entfuhr es Bennols. »Daß ich das übersehen habe . . .«

Corner ging nicht darauf ein: »Und den zweiten sicheren Hinweis gab Scoulder, als er sagte, er habe am 2. Juni an das Institut ›Die Ehe‹ geschrieben. Zu diesem Zeitpunkt lief aber schon unsere Überwachung der Anzeigenschalter. Wenn es also wirklich einen Brief von Scoulder gegeben hätte, müßte er registriert worden sein, als wir die Schreiben öffneten. Aber auch das war nicht der Fall. Da wußte ich, daß Scoulder den Überfall erfunden hatte, um uns auf eine falsche Fährte zu setzen.«

»Und wer hat ihm den Schlag verpaßt?« warf Murrey ein.

»Ich würde mich nicht wundern, wenn es seine Mutter gewesen wäre. Ein schönes Gespann, diese zwei.«

»Eigentlich tut mir diese Mrs. Wals leid«, meinte Bennols nachdenklich.

»Nun werden Sie nicht sentimental«, wies ihn Murrey zurecht. »Nur weil sie eine hübsche Larve hatte . . .? Mag ja sein, daß sie in die Sache reingeschlittert ist. Aber immerhin war es Beihilfe zum Mord. Ungeschoren wäre sie nicht davongekommen . . . vielleicht besser, daß sie nun nicht ins Gefängnis muß. Aber los, Corner, die Meute wartet! Ich will ihr Sie zum Fraß hinwerfen.«

Der Chief Inspector rieb sich in offensichtlicher Vorfreude die Hände.

Corner nahm Bennols am Arm.

»Ihnen, Stewart, gebe ich jetzt einen dienstlichen Befehl. Sie gehen jetzt nach Hause und werfen sich in Schale. Denn heute abend haben Sie Margret Baldwin auszuführen. Aber machen Sie mir keine Schande . . .«

»Sie, Chef«, staunte Bennols strahlend, »Sie betätigen sich als Kuppler?«

»Wie soll ich Sie sonst unter die Haube bringen, Bennols?« gab Corner zur Antwort. »Sie haben ja gesehen: Mit Heiratsanzeigen ist das eine tödliche Sache.«